电工电子实验系列教材

数字逻辑实验与课程设计

主　编　罗长杰　韩绍程

哈尔滨工程大学出版社

内容简介

本书分为三章:第一章为小规模集成电路实验部分,包含了 10 个传统经典数字逻辑实验;第二章为采用 Quartus Ⅱ 的原理图设计方式设计数字逻辑系统的基本实验,实验数量虽然也为 10 个,但为了实验的完整性篇幅有所不同;第三章为课程设计部分,课程设计题目遴选了 20 个,多数为学生熟悉的电子系统。

本书的编写宗旨是使初学数字逻辑电路的读者在理论知识的学习基础之上提高设计电路、开发电子产品的能力,因此本书特别适合数字电路设计的初学者参考使用。本书可作为"数字逻辑""数字电子技术"等理论及实验课程的教材,同时也适合爱好数字逻辑电路设计的读者参考。

图书在版编目(CIP)数据

数字逻辑实验与课程设计/罗长杰,韩绍程主编.
—哈尔滨:哈尔滨工程大学出版社,2017.2(2023.8 重印)
ISBN 978 – 7 – 5661 – 1421 – 1

Ⅰ.①数… Ⅱ.①罗… ②韩… Ⅲ.①数字逻辑 –
实验 – 高等学校 – 教材 ②数字逻辑 – 课程设计 – 高等
学校 – 教材 Ⅳ.①TP302.2

中国版本图书馆 CIP 数据核字(2016)第 319546 号

出版发行	哈尔滨工程大学出版社	
地 址	哈尔滨市南岗区南通大街 145 号	
邮政编码	150001	
发行电话	0451 – 82519328	
传 真	0451 – 82519699	
经 销	新华书店	
印 刷	黑龙江天宇印务有限公司	
开 本	787mm ×960mm 1/16	
印 张	19	
字 数	481 千字	
版 次	2017 年 2 月第 1 版	
印 次	2023 年 8 月第 6 次印刷	
定 价	40.00 元	

http://www.hrbeupress.com
E-mail:heupress@ hrbeu.edu.cn

前　　言

本书面向学习或正在学习"数字逻辑""数字电子技术"理论课程的读者。

自 20 世纪中期电子晶体管出现后，微电子技术与计算机技术得到了空前的发展，特别是大规模集成电路的普及，电子电路逐步告别分立元件时代，向小型化、集成化方向发展。目前，熟练掌握和运用 EDA（Electronic Design Automation，电子设计自动化）技术已经成为电子、计算机及相关专业本科人才不可或缺的技能。

为保证对学生基础知识和实践能力的双重教学要求，本书分为三章，同时涵盖传统分立的小规模集成电路搭建实验、基于 FPGA（Field Programmable Gate Array，现场可编程门阵列）技术的数字系统实验和数字系统课程设计。

第一章为中小规模集成电路部分，包含了传统经典"数字逻辑实验"。笔者根据历届学生在"数字电子技术实验"中遇到的问题做了部分内容调整，以利于学生掌握数字电子技术基础知识。

第二章为可编程逻辑器件基础实验部分。之所以没有引入目前最为流行的硬件描述语言来设计，是为了使学生能在最短的时间内用已学习过的数字电子技术理论知识初步掌握 FPGA 的设计方法。在这部分考虑到内容的连续性，每个实验所占用的篇幅不同，教学过程中可以分配不同的学时。

第三章为数字电子技术课程设计部分，课程设计题目遴选了 20 个。通过这些课程设计可以使学生建立系统设计的概念，使学生从以往一个个孤立的实验走向设计完整的数字系统，达到学以致用的目的。对于每个题目笔者给出了设计思路，课程设计一至十三给出基本模块程序，这样做的目的是给刚刚接触这一技术的学生以提示，起到抛砖引玉的作用。特意没有将完整的程序给出，是为了给学生留出独立思考的空间。课程设计十四至二十则完全没有给出电路，原因是这几个题目可以参考前十三个课程设计完成。书中的程序是在 Quartus Ⅱ 9.0 环境下编写、仿真、调试实现的。

本书由罗长杰、韩绍程主编。其中第二章由罗长杰编写，第一章和第三章由韩绍程编写。王淑艳、霍丽华、黄建宇、赵淑舫和常美华等老师对本书的编写提出了大量有益的建议，在此表示衷心的感谢。

由于电子技术是一门发展迅速的技术，涉及面广、技术更新快，加之编者水平有限，书中难免有错误和不妥之处，请各位读者及时予以指正。

编　者

2016 年 11 月

目　　录

第一章　中小规模集成电路实验 ………………………………………………………… 1

实验一　TTL 门电路逻辑功能及参数测试 ……………………………………… 3

实验二　CMOS 门电路逻辑功能及参数测试 ………………………………… 10

实验三　译码器及应用 ……………………………………………………… 14

实验四　数据选择器及应用 ………………………………………………… 20

实验五　触发器的功能测试 ………………………………………………… 24

实验六　简单时序电路设计 ………………………………………………… 29

实验七　集成计数器及应用 ………………………………………………… 32

实验八　移位寄存器及应用 ………………………………………………… 44

实验九　555 定时器及应用 ………………………………………………… 48

实验十　A/D,D/A 转换器及应用 ………………………………………… 53

第二章　可编程逻辑器件基础实验 ……………………………………………… 61

实验一　Quartus Ⅱ 软件的使用 ………………………………………… 62

实验二　数据选择器和译码器模块的功能测试 ………………………… 97

实验三　D 触发器与移位寄存器模块的功能测试 …………………… 105

实验四　简单时序电路设计 ……………………………………………… 115

实验五　计数器模块的应用 ……………………………………………… 123

实验六　数码管的显示 …………………………………………………… 130

实验七　多位加法器及显示 ……………………………………………… 141

实验八　声音信号的输出 ………………………………………………… 149

实验九　序列检测器的实现 ……………………………………………… 153

实验十　波形发生电路(嵌入式逻辑分析仪 SignalTap Ⅱ 的调用) …… 157

第三章　数字电子技术课程设计 ………………………………………………… 169

课程设计一　简易电子琴的设计和实现 ……………………………… 173

课程设计二　音乐彩灯控制系统 ………………………………………… 185

课程设计三　跑马灯的设计 ……………………………………………… 190

课程设计四　汽车尾灯控制器的设计……………………………………195

课程设计五　简易抢答器设计和实现……………………………………200

课程设计六　多功能数字钟的设计………………………………………205

课程设计七　智能交通指示灯的设计……………………………………210

课程设计八　乒乓球游戏电路的设计……………………………………215

课程设计九　直流电机的控制与测试……………………………………222

课程设计十　步进电机的控制与测试……………………………………229

课程设计十一　数字电压表的设计………………………………………234

课程设计十二　简易数字频率计的设计…………………………………238

课程设计十三　最大值检测电路的设计…………………………………241

课程设计十四　出租车计价器的设计……………………………………245

课程设计十五　智能洗衣机控制器的设计………………………………247

课程设计十六　电梯控制系统的设计……………………………………249

课程设计十七　脉冲电话按键显示器的设计……………………………251

课程设计十八　卡式电话计费器的设计…………………………………254

课程设计十九　自动售货机的设计………………………………………256

课程设计二十　银行自动排队叫号系统的设计…………………………258

附录 A　SmartEDA 核心板 FPGA 引脚分配……………………………262

附录 B　SmartEDA 实验箱电路 …………………………………………268

附录 C　Quartus Ⅱ 常用模块 ……………………………………………276

附录 D　Quartus Ⅱ 常用快捷键 …………………………………………287

附录 E　Quartus Ⅱ 常用文件后缀注释 …………………………………291

参考文献 …………………………………………………………………295

第一章　中小规模集成电路实验

集成电路的出现,尤其是中大规模集成电路的出现,给数字电子电路的设计者带来了新的方法。设计者无须用分立元件再来构成各种门、触发器等基本数字逻辑部件。在大多数的情况下也不需要自行设计计数器、译码器、移位寄存器等复杂逻辑部件。工程师们只要根据工程任务的要求合理地选择集成电路器件及少量的分立元件,用模块组装的方式将它们"拼接"起来即可"完成任务"。也就是说,现在对于一个数字电子电路的设计者而言,他们的主要任务是要进行逻辑构思、灵活地选择器件以及正确地"拼接"等三项主要内容,就能完成一个数字逻辑系统的设计。

因此为了使学生充分掌握数字电路的设计能力,本章包含了 10 个数字逻辑的基本实验,每个实验都包括验证性和设计性两部分,最后还给出了思考题。

一、实验要求

为了达到尽可能好的教学效果,对实验学生统一提出以下要求:

1. 结合理论课教学,熟悉集成电路器件的使用条件和逻辑功能,学习查阅器件的数据表(Datasheet),更加全面深入理解器件的功能及其使用方法。

2. 对所设计电路一定要进行全面、合理的考虑,如对于电路中的竞争冒险现象要充分予以考虑。

3. 加强预习环节,虽然对预习报告格式没有统一要求,但是决不能忽略这一过程,预习的结果应该是对所做实验做到心中有数。

4. 要养成随时记录实验数据、记录实验过程的习惯,以利于分析电路。

二、实验需要仪器

1. 数字电路实验箱以及交流信号源。
2. 万用表。
3. 双踪示波器。

三、实验报告书写要求

1. 实验项目名称。
2. 实验目的及要求(参考教材,根据预习和思考题自己写出)。
3. 实验原理(用自己的话简述主要实验原理,建议不要照抄书本)。

4.实验内容以及实验步骤(包括实验电路图)。

5.实验数据及结果分析。

6.实验体会以及对实验的改进方案(必写,如实验中遇到的问题、解决办法、体会和建议等,要求简洁、务实,不用套话)。

实验一　TTL门电路逻辑功能及参数测试

TTL集成电路中的"与""或""非""与非""或非"以及"异或"门等是数字电路中广泛使用的基本逻辑门,使用时必须对它的逻辑功能、主要参数和特性曲线进行测试,以确定其性能好坏。本实验是对TTL集成器件74LS00和74LS86进行测试,以找出TTL器件的参数特点。

一、实验目的

1. 熟悉数字电路实验箱的使用方法。
2. 掌握TTL门电路逻辑功能的测试方法。
3. 熟悉示波器的使用方法。

二、所用芯片

74LS00的外观图及逻辑符号如图1-1和图1-2所示。74LS86的外观图及逻辑符号如图1-3和图1-4所示。

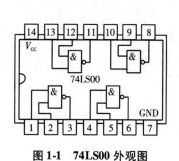

图1-1　74LS00外观图

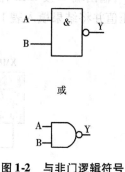

图1-2　与非门逻辑符号

三、预习要求

1. 复习门电路工作原理及相应逻辑表达式。
2. 上网找到74LS00和74LS86的数据表,并仔细阅读。
3. 熟悉所用集成电路芯片的各个引脚位置及用途。
4. 复习并熟练掌握双踪示波器的使用方法。

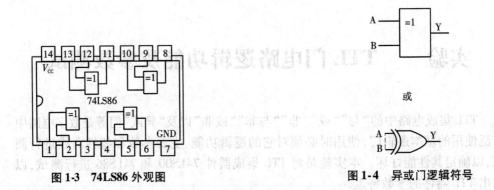

图 1-3　74LS86 外观图　　　　　　　　图 1-4　异或门逻辑符号

四、实验内容

注意事项:每次实验前先检查实验箱电源是否正常,然后选择实验用的集成电路芯片,按自己设计的实验接线图接好连线,特别注意 V_{CC}(电源)及 GND(地线)不能接错。线接好后经检查无误方可通电实验。实验中改动接线须先断开电源,接好线后再通电实验。

1. 测试门电路的逻辑功能

选用二输入四与非门 74LS00 一片,按图 1-5 接线。两个输入端 A 和 B 分别接逻辑电平,输出端 Y 接 LED 用来显示电平的高低。观察输出状态,用万用表分别测输出电压值并将结果填入表 1-1。

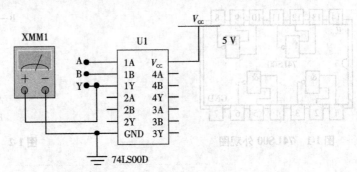

图 1-5　与非门测试电路图

表 1-1　与非门 74LS00 的功能测试

A	B	Y	Y 电压值/V	A	B	Y	Y 电压值/V
0	0			1	0		
0	1			1	1		

2. 测试逻辑电路

选用异或门 74LS86 一片,按图 1-6 接线。输入端 1,2,4,5 接逻辑电平,输出端 A,B,Y 分别接 LED 用来显示电平的高低。写出这个电路输出与输入之间的逻辑表达式,Y = _____。

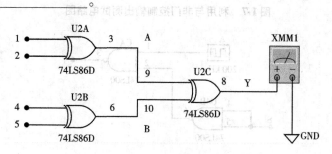

图 1-6　异或门测试电路

按表 1-2 设置逻辑电平,用万用表测量 A,B,Y 各点的电压值,将结果填入表 1-2 内。

表 1-2　异或门测试记录表

输　　入				输　　　　出		
5 脚	4 脚	2 脚	1 脚	A 电压值/V 3 脚	B 电压值/V 6 脚	Y 电压值/V 8 脚
0	0	0	0			
1	0	0	0			
1	1	0	0			
1	1	1	0			
1	1	1	1			
0	1	0	1			

3. 利用与非门控制输出

选用二输入四与非门 74LS00 一片,分别按图 1-7 和图 1-8 接线。在输入端 1 输入 200 kHz 连续脉冲,将 S 端接至逻辑电平,用示波器观察 S 端分别为低电平和高电平时,输入端 A 和输出端 Y 的波形,并将结果记录在表 1-3 中。

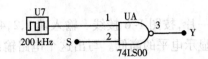

图1-7　利用与非门控制输出测试电路图

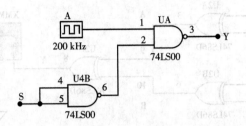

图1-8　利用与非门控制输出测试电路图

表1-3　利用与非门控制输出测试记录表

测试电路	控制端状态	输出 Y	分析解释实验结果
图1-7 电路	S = 0		
	S = 1		
图1-8 电路	S = 0		
	S = 1		

4. 平均传输延迟时间 t_{pd} 的测量

t_{pd} 是衡量门电路开关速度的参数,它是指输出波形相对于输入波形的滞后时间,包括导通延迟时间和截止延迟时间,如图1-9所示。图中的 t_{PHL} 为导通延迟时间,也称为输出由高电平至低电平的传输延迟时间;t_{PLH} 为截止延迟时间,也称为输出由低电平至高电平的传输延迟时间。平均传输延迟时间是导通延迟时间和截止延迟时间的算术平均值:

$t_{pd} = 0.5(t_{PHL} + t_{PLH})$。

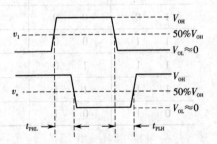

图1-9　与非门延迟时间定义示意图

使用双踪示波器测量平均传输时间的测试电路如图1-10所示。由于单个 TTL 门电路的延迟时间较小(纳秒数量级),使用一般的示波器不易直接观察和测量,所以将多个(如 4 个)门电路串联起来,经 4 级延迟后,最后输出信号的延迟时间为单个门延迟时间的 4 倍。

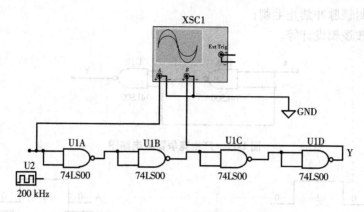

图 1-10 与非门延迟时间测试电路图

测量时,将 200 kHz 的 TTL 脉冲加在第一级门的输入端,最后一级门电路输出经延时后的方波脉冲。将输入方波和输出方波脉冲分别加在双踪波示波器的 A 和 B 两个输入端,就得到 4 级门的传输延迟时间,则单个门的平均传输延迟时间为

$$t_{\mathrm{pd}} = \frac{t_{\text{测量}}}{4}。$$

按照测试电路如图 1-10 接线,将固定连续脉冲 200 kHz 端接到测试电路的输入端,用示波器同时观察输入和输出波形,测出 4 级门的传输延迟时间。根据测量结果计算单个门的平均延迟时间_____(受到仪器精度的限制,可以仅测量延迟时间较大的一边:$t_{\mathrm{pd}} = \dfrac{t_{\mathrm{PHL}}}{4}$或 $t_{\mathrm{pd}} = \dfrac{t_{\mathrm{PLH}}}{4}$)。

5. 竞争冒险现象的观察

组合电路设计时把设计条件理想化了,没有考虑输入信号的上升沿、下降沿以及信号的传输时间。实际上,输入信号电平的变化总需要一定的时间,门也总有时延,且每个门的延迟时间都是有差别的,因此两信号到达与门输入端的时间总是有先有后,这种现象就叫作竞争。由于竞争,组合电路的输出端就可能产生过度脉冲及毛刺,这种现象称为冒险。图 1-11 是说明上述现象的最简单例子,图 1-12 为与之相对应的理想输出信号图。在图 1-11 中,与门输出函数 $Y = \overline{A}A$,由于 A 先上升到高电平,$\overline{A}$ 后下降为低电平,使 Y 产生一正向毛刺。不难理解,在图 1-13 中,由于非门 1 有延时时间 t_{pd},使输出 Y 产生一相应宽度的正向毛刺。毛刺是一种非正常输出,它对后接负载电路有可能造成误动作,从而直接影响数字设备的稳定性和可靠性,故应设法将之消除。消除毛刺的方法有以下几种:

(1)在产生毛刺的输出端接滤波电容平滑毛刺;

（2）加选通脉冲取出正常输出信号；

（3）加封锁脉冲禁止毛刺；

（4）修改逻辑设计等。

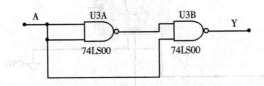

图 1-11　产生竞争冒险电路图

图 1-12　理想的输出信号图　　　　　图 1-13　产生竞争冒险电路的测试

按图 1-11 连接实验电路，输入端接 200 kHz 脉冲信号，用示波器同时测量输入端和输出端波形，观察竞争冒险现象，如图 1-14 所示。将示波器显示屏上的图像画在坐标纸上，并对图形的各个部分予以解释分析。

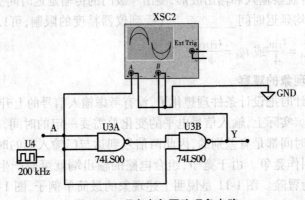

图 1-14　观察竞争冒险现象电路

思考题

1. 怎样判断门电路逻辑功能是否正常？

2. 如何处理各种门电路的多余输入端？

3. 二输入（或四输入）与非门一个输入端接入连续脉冲,其余端应为什么状态才能允许脉冲通过? 什么状态时不允许脉冲通过?

4. 为什么与非门又称可控反向门?

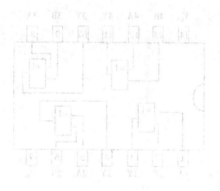

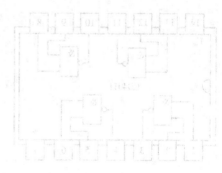

3 T 输入人这几个输入与非门，一个输入人是接入固定电平。连去输出的是什么状态
据方在接电地中通过、什么状态不为分析就电通？

实验二 CMOS门电路逻辑功能及参数测试

CMOS 集成电路由 NMOS 和 PMOS 管组成,统称为互补 MOS 电路。它具有功耗低、电源电压范围宽、抗干扰能力强、输出电平高、输入阻抗高和可靠性强等优点,因此 CMOS 集成电路被广泛应用于各种电子系统中。其缺点是制造工艺复杂,管子用得多。常用的 CMOS 门电路尽管内部结构与 TTL 不同,但它们的逻辑功能却完全一样。本实验就是通过对 CMOS 芯片进行测试以达到对这种芯片进一步了解和认识的目的。

一、实验目的

1. 了解 CMOS 集成电路的特点和使用方法。
2. 掌握 CMOS 集成电路主要参数和逻辑功能的测试方法。
3. 了解 TTL 电路与 CMOS 电路衔接的要求。

二、所用芯片

CD4011 外观图和 CD4070 外观图分别如图 1-15 和图 1-16 所示。

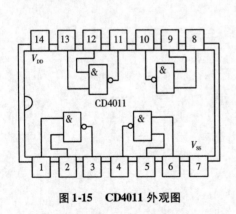

图 1-15 CD4011 外观图

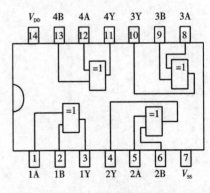

图 1-16 CD4070 外观图

三、预习要求

1. 复习 CMOS 集成电路的工作原理及特点。
2. 查阅所用芯片的数据表,了解它们的主要参数及管脚分布图。

四、实验内容

CMOS 芯片使用方法:集成电路的电源可以在极大范围内变化,因而对电源的要求不像 TTL 集成电路那样严,但是电源电压的变化也会给 CMOS 带来一些影响。由于 CMOS 电路的阈值为 45% ~ 50% V_{DD},因而在干扰较大的情况下,适当提高 V_{DD} 是有益的。其次,CMOS 的 V_{DD} 不允许超过 V_{DDmax},也不允许低于 V_{DDmin},因此电源电压选择在 V_{DD} 允许变化范围的中间值较为妥当。如果 CMOS 允许电源电压在 8 ~ 12 V,则选择 V_{DD} = 10 V 可使电路工作不致因电源变化而不可靠。

(1)CMOS 集成电路一定先加 V_{DD},后加输入信号,其值 $V_{SS} < V_i < V_{DD}$,工作结束后先撤去输入信号,后去掉电源。

(2)V_{DD} 和 V_{SS} 绝对不能接反,否则无论是保护电路还是内部电路都可能因电流过大而损坏。

(3)禁止在电源接通的情况下,装拆线路或器件。

1. 测试 COMS 门电路的逻辑功能

选用二输入四与非门 CD4011 一片,按图 1-17 接线,V_{DD} = 10 V,V_{SS} 接地。两个输入端分别接逻辑电平,输出端接 LED 用来显示电平的高低。观察输出状态,用万用表分别测输出电压值,并将结果填入表 1-4。

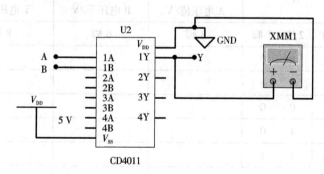

图 1-17 与非门测试电路图

表 1-4 与非门的功能测试

A	B	Y	Y 电压值/V	A	B	Y	Y 电压值/V
0	0			1	0		
0	1			1	1		

2. CMOS 逻辑电路测试

选用异或门 CD4070 一片,按图 1-18 接线。输入端 1,2,4,5 接逻辑电平,输出端 A,B,Y 分别接 LED 用来显示电平的高低。写出这个电路输出与输入之间的逻辑表达式 Y = _____。

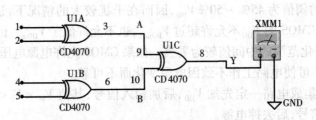

图 1-18　异或门测试电路

按表 1-5 设置输入电平,用万用表测量 A,B,Y 三个点的电压值,并将结果填入表 1-5 内。

表 1-5　异或门测试记录表

输　　入				输　　出		
				A 电压值/V	B 电压值/V	Y 电压值/V
5 脚	4 脚	2 脚	1 脚	3 脚	6 脚	8 脚
0	0	0	0			
1	0	0	0			
1	1	0	0			
1	1	1	0			
1	1	1	1			
0	1	0	1			

3. 平均传输延迟时间 t_{pd} 的测量

按照测试电路接线(图 1-19)。将固定连续脉冲 200 kHz 端接到测试电路的输入端,用示波器同时观察输入端和输出端波形,测出 4 级门的传输延迟时间。根据测量结果计算单个门的平均延迟时间 _____(受到仪器精度的限制,可以仅测量延迟时间较大的一边:$t_{pd} = \dfrac{t_{PHL}}{4}$ 或 $t_{pd} = \dfrac{t_{PLH}}{4}$)。

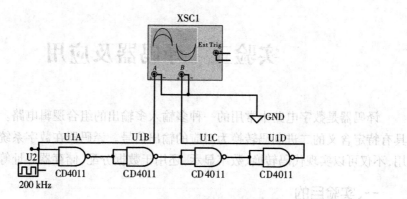

图 1-19　CMOS 与非门延迟时间测试电路图

思考题

对比 CMOS 芯片参数与 TTL 芯片参数,并总结它们各自的特点及使用注意事项。

实验三 译码器及应用

译码器是数字电路中常用的一种多输入多输出的组合逻辑电路。它的功能是将具有特定含义的二进制码转换为对应的输出信号。译码器在数字系统中有广泛的应用,不仅可以实现代码转换、数字显示,还用于数据分配、储存器寻址等场合。

一、实验目的

1. 掌握译码器的工作原理及测试方法。
2. 查找实验所用译码器的数据表,读懂数据表,分析它们的功能和使用方法。
3. 熟练运用译码器实现组合电路。

二、所用芯片

1.74LS138,3~8线译码器

74LS138外观图如图1-20所示。74LS138管脚功能说明见表1-6。

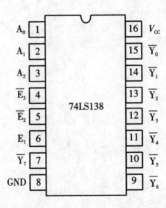

图1-20 74LS138外观图

表1-6 74LS138管脚功能说明

引脚	名称	功　能
1	A_0	数据输入端
2	A_1	数据输入端

表 1-6（续）

引脚	名称	功 能
3	A_2	数据输入端
4	$\overline{E_3}$	使能输入端
5	$\overline{E_2}$	使能输入端
6	E_1	使能输入端
7	$\overline{Y_7}$	输出端 $\overline{Y_7} = \overline{E_1 \overline{E_2}\ \overline{E_3} A_2 A_1 A_0}$
8	GND	芯片接地端
9	$\overline{Y_6}$	输出端 $\overline{Y_6} = \overline{E_1 \overline{E_2}\ \overline{E_3} A_2 A_1 \overline{A_0}}$
10	$\overline{Y_5}$	输出端 $\overline{Y_5} = \overline{E_1 \overline{E_2}\ \overline{E_3} A_2 \overline{A_1} A_0}$
11	$\overline{Y_4}$	输出端 $\overline{Y_4} = \overline{E_1 \overline{E_2}\ \overline{E_3} A_2 \overline{A_1}\ \overline{A_0}}$
12	$\overline{Y_3}$	输出端 $\overline{Y_3} = \overline{E_1 \overline{E_2}\ \overline{E_3} \overline{A_2} A_1 A_0}$
13	$\overline{Y_2}$	输出端 $\overline{Y_2} = \overline{E_1 \overline{E_2}\ \overline{E_3} \overline{A_2} A_1 \overline{A_0}}$
14	$\overline{Y_1}$	输出端 $\overline{Y_1} = \overline{E_1 \overline{E_2}\ \overline{E_3} \overline{A_2}\ \overline{A_1} A_0}$
15	$\overline{Y_0}$	输出端 $\overline{Y_0} = \overline{E_1 \overline{E_2}\ \overline{E_3} \overline{A_2}\ \overline{A_1}\ \overline{A_0}}$
16	V_{CC}	提供高电平给芯片供电

2. 74LS47，BCD – 七段译码器/驱动器

74LS47 外观图如图 1-21 所示。74LS47 管脚功能说明见表 1-7。

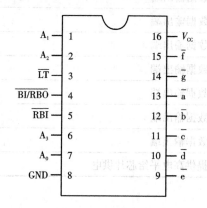

图 1-21　74LS47 外观图

表 1-7　　74LS47 管脚功能说明

引脚	名称	功　　能
1	A$_1$	数据输入端
2	A$_2$	数据输入端
3	$\overline{LT}$	试灯输入端:它是低电平有效,当$\overline{LT}$ = 0 时,数码管七段全亮,与数据输入端的信号无关
4	$\overline{BI/RBO}$	动态灭零输入/输出端:用于显示多位数字时译码器之间的连接。 $\overline{BI/RBO}$作为输出使用时,为低一级译码提供灭零控制信号,它受控于$\overline{LT}$和$\overline{RBI}$。当$\overline{LT}$ = 1,且$\overline{RBI}$ = 0 时,$\overline{BI/RBO}$ = 0,其他情况则$\overline{BI/RBO}$ = 1。 $\overline{BI/RBO}$作为输入使用时,当$\overline{BI}$等于 0 时无论$\overline{LT}$和数据输入为何种状态,译码器均输出高电平,即数码管不亮
5	$\overline{RBI}$	动态灭零输入端:当$\overline{LT}$ = 1,$\overline{RBI}$ = 0,且译码输入为"0"时,该位输出不显示,即"0"字被灭;当译码器输入非"0"时,则正常显示。这个功能的设计用于消除无效的"0",如数据为"05",消隐状态时单独显示一个数字"5"
6	A$_3$	数据输入端
7	A$_0$	数据输入端
8	GND	芯片接地端
9	$\overline{e}$	数据输出端
10	$\overline{d}$	数据输出端
11	$\overline{c}$	数据输出端
12	$\overline{c}$	数据输出端
13	$\overline{a}$	数据输出端
14	$\overline{g}$	数据输出端
15	$\overline{f}$	数据输出端
16	V_{CC}	提供高电平给芯片供电

3. 数码管

数码管外观图及内部电路如图 1-22 所示。

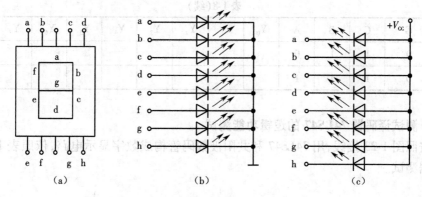

图 1-22　数码管外观图及内部接线图

（a）外形图；（b）共阴极连接；（c）共阳极连接

三、预习要求

1. 复习常用译码器(3~8 译码器、数码管译码器等)的工作原理和使用方法。
2. 查阅所用芯片和器件的数据表,了解引脚用途及相应逻辑表达式。

四、实验内容

1. 测试译码器 74LS138 的逻辑功能及其应用设计

按照表 1-8 将译码器 74LS138 的输入接相应的电压开关,输出接 LED 指示灯,将实验结果填入表 1-8 中。

注意:不要忘记给 74LS138 供电。

表 1-8　74LS138 的逻辑功能测试记录表

G	C	B	A	Y_0	Y_1	Y_2	Y_3	Y_4	Y_5	Y_6	Y_7
1	X	X	X								
0	0	0	0								
0	0	0	1								
0	0	1	0								
0	0	1	1								
0	1	0	0								
0	1	0	1								

表 1-8(续)

G	C	B	A	Y_0	Y_1	Y_2	Y_3	Y_4	Y_5	Y_6	Y_7
0	1	1	0								
0	1	1	1								

2. 测试译码器 74LS47 的逻辑功能测试

按照图 1-23 接线,用 74LS47 和共阳极数码管构成数字显示电路,依照表 1-9 进行数据测试。

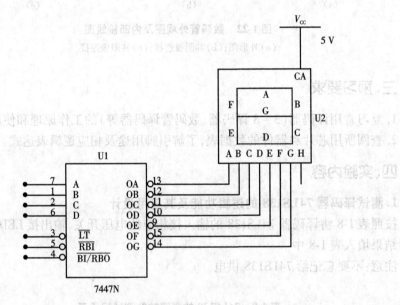

图 1-23 测试 74LS47 芯片电路

表 1-9 测试 74LS47 芯片数据记录表

$\overline{LT}$	$\overline{RBI}$	$\overline{BI/RBO}$	DCBA	$\overline{a}\,\overline{b}\,\overline{c}\,\overline{d}\,\overline{e}\,\overline{f}\,\overline{g}$	备 注
0	X	1	XXXX		
X	X	0	XXXX		
1	0	0	0000		
1	1	1	0000		
1	X	1	0001		
1	X	1	0010		

表 1-9（续）

$\overline{LT}$	$\overline{RBI}$	$\overline{BI}/\overline{RBO}$	DCBA	$\bar{a}\,\bar{b}\,\bar{c}\,\bar{d}\,\bar{e}\,\bar{f}\,\bar{g}$	备　注
1	X	1	0011		
1	X	1	0100		
1	X	1	0101		
1	X	1	0110		
1	X	1	0111		
1	X	1	1000		
1	X	1	1001		
1	X	1	1010		
1	X	1	1011		
1	X	1	1100		
1	X	1	1101		
1	X	1	1110		
1	X	1	1111		

思考题

1. 利用译码器 74LS138 和 74LS00 设计全加器电路。

2. 利用译码器 74LS138 和 74LS00 设计一个 4 ~ 16 译码器。

3. 如果数码管是共阴极的,应该选择哪种译码器,找来相应的数据表研究一下。

实验四　数据选择器及应用

数据选择器又称为多路选择器或多路开关,它是多输入、单输出的组合逻辑电路。当在数据选择器的控制端加上地址码时就能从多个数据中选择一个数据,传送到一个单独的信息通道口,这种功能类似一个单刀多掷转换开关。它除了数据选择外,还可以用来产生复杂的函数,实现数据传输和并/串转换等多种功能。

一、实验目的

掌握数据选择器的功能及使用方法。

二、所用芯片

74LS151 外观图如图 1-24 所示。74LS151 逻辑功能表见表 1-10。

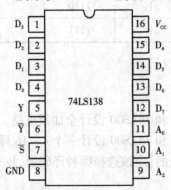

图 1-24　74LS151 外观图

表 1-10　74LS151 逻辑功能表

输 入				输 出
使 能	选 择			
$\overline{S}$	A_2	A_1	A_0	Y
1	X	X	X	L
0	0	0	0	D_0
0	0	0	1	D_1

表1-10(续)

输 入				输 出
使 能	选 择			
0	0	1	0	D_2
0	0	1	1	D_3
0	1	0	0	D_4
0	1	0	1	D_5
0	1	1	0	D_6
0	1	1	1	D_7

三、预习要求

1. 复习数据选择器工作原理及 74LS151 管脚排列。

2. 查阅资料,了解数据选择器在逻辑电路中的用途。

四、实验内容

1. 测试数据选择器 74LS151 的逻辑功能

按照图 1-25 连接电路,将 25 kHz,50 kHz,100 kHz,200 kHz 四个信号分别输入到数据选择器的输入端,改变选择端 A 和 B 的电平,用万用表和示波器观察输出端的输出状态并填入表 1-11 中。

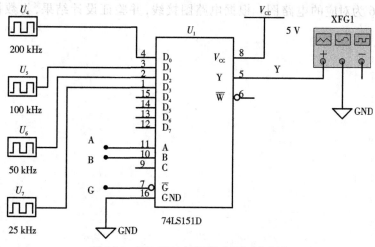

图 1-25　74LS151 的逻辑功能测试电路

表 1-11　74LS151 的逻辑功能测试记录表

使能	选 择		输 入				输 出
$\overline{G}$	B	A	D_3	D_2	D_1	D_0	
1	X	X					示波器测量电压： 万用表测量电压：
0	0	0	25 kHz	50 kHz	100 kHz	200 kHz	$f =$ _____ $V_{P-P} =$ _____
0	0	1					$f =$ _____ $V_{P-P} =$ _____
0	1	0					$f =$ _____ $V_{P-P} =$ _____
0	1	1					$f =$ _____ $V_{P-P} =$ _____

2. 用 74LS151 实现逻辑表达式 $F = C\overline{B}\,\overline{A} + CB\overline{A} + \overline{C}\,\overline{B}A + \overline{C}BA$

函数的输入变量有三个，即 C, B, A。74LS151 有三个地址，将它们分别代表 CBA，数据输入端 $D_0 \sim D_7$ 作为控制信号决定输出，因此有

$$F = C\overline{B}\,\overline{A} + CB\overline{A} + \overline{C}\,\overline{B}A + \overline{C}BA = \sum (4,6,1,3)$$

图 1-26 为对应的电路图。根据电路图接线，并验证设计结果，将数据填入表 1-12 中。

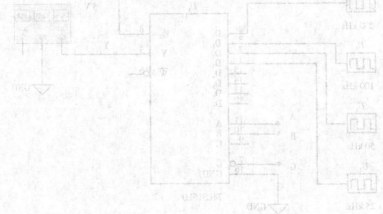

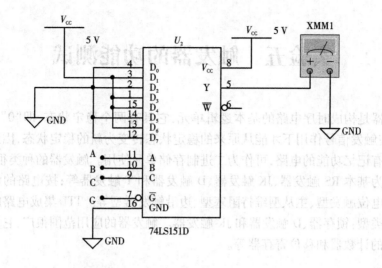

图 1-26　74LS151 实现逻辑表达式 $F = C\overline{B}\,\overline{A} + CB\overline{A} + \overline{C}\,BA + CBA$ 电路

表 1-12　测试数据记录表

输　　入			输　　出
C	B	A	F
0	0	0	
0	0	1	
0	1	0	
0	1	1	
1	0	0	
1	0	1	
1	1	0	
1	1	1	

思考题

1. 利用数据选择器 74LS151 和 74LS00 实现异或门电路。

2. 利用数据选择器 74LS151 和 74LS00 设计全加器电路。

实验五　触发器的功能测试

　　触发器是构成时序电路的基本逻辑单元,它具有两个稳定状态,即"0"和"1"状态,只有在触发信号作用下才能从原来的稳定状态转变为新的稳定状态,因此触发器是一种具有记忆功能的电路,可作为二进制存储单元使用。触发器的种类很多,按其功能可分为基本 RS 触发器、JK 触发器、D 触发器和 T 触发器等;按电路的触发方式又可分为电位触发型、主从型维持阻塞型、边沿触发器型等。TTL 集成电路触发器主要有三种类型:锁存器、D 触发器和 JK 触发器。触发器的应用范围很广,它可以构成各种各样的计数器和移位寄存器等。

一、实验目的

1. 熟悉基本 RS 触发器、JK 触发器和 D 触发器的逻辑功能和测试方法。
2. 学会正确使用集成触发器的方法。
3. 掌握各个触发器之间逻辑功能转换的方法。

二、所用芯片

1. 74LS74,双 D 触发器(上升沿触发)

74LS74 外观图如图 1-27 所示。74LS74 逻辑功能表见表 1-13。

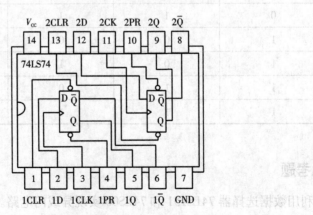

图 1-27　74LS74 外观图

表 1-13　74LS74 逻辑功能表

输　　入				输　　出	
PR	CLR	CLK	D	Q^{n+1}	$\overline{Q^{n+1}}$
0	1	X	X	1	0
1	0	X	X	0	1
0	0	X	X	1(不稳定)	1(不稳定)
1	1	↑	1	1	0
1	1	↑	0	0	1
1	1	0	X	Q^n	$\overline{Q^n}$

2.74LS112,双 JK 触发器(下降沿触发)

74LS112 外观图如图 1-28 所示。74LS112 逻辑功能表见表 1-14。

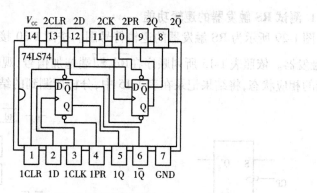

图 1-28　74LS112 外观图

表 1-14　74LS112 逻辑功能表

输入					输出	
PR	CLR	CLK	J	K	Q^{n+1}	$\overline{Q^{n+1}}$
0	1	X	X	X	1	0
1	0	X	X	X	0	1
0	0	X	X	X	*	*
1	1	↓	0	0	Q^n	$\overline{Q^n}$
1	1	↓	1	0	1	0

表 1-14（续）

输入					输出	
PR	CLR	CLK	J	K	Q^{n+1}	$\overline{Q^{n+1}}$
1	1	↓	0	1	0	1
1	1	↓	1	X	$\overline{Q^n}$	Q^n

注:在有些书中 CLR 用$\overline{Rd}$表示,PR 用$\overline{Sd}$表示,其他表示符号也如此。

三、预习要求

1. 复习 RS,D,JK 触发器的工作原理。
2. 熟悉 74LS74 和 74LS112 的引脚位置及功能。

四、实验内容

1. 测试 RS 触发器的逻辑功能

图 1-29 所示为 RS 触发器的逻辑符号图。按图 1-30 接线,即用与非门组成基本 RS 触发器。依照表 1-15 所列顺序在$\overline{Rd}$,$\overline{Sd}$端施加信号,观察并记录 RS 触发器的输出端的相应状态,将结果记录在表 1-15 中,分析所测到的结果。

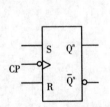

图 1-29　RS 触发器逻辑符号

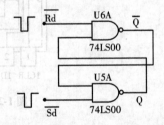

图 1-30　与非门组成的 RS 触发器

表 1-15　RS 触发器功能测试数据记录表

操作顺序	$\overline{Sd}$	$\overline{Rd}$	输出波形(画草图描述并分析结果)	
			Q	$\overline{Q}$
1	0	1		
2	1	1		
3	1	0		
4	1	1		

表 1-15（续）

操作顺序	$\overline{Sd}$	$\overline{Rd}$	输出波形（画草图描述并分析结果）	
			Q	$\overline{Q}$
5	0	100 kHz		
6	1	100 kHz		
7	100 kHz			

2. 测试 D 触发器的逻辑功能

按照图 1-31 接线,按照表 1-16 的顺序测试 74LS74 的功能,将结果填入表 1-16 中,并分析结果。

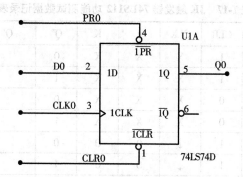

图 1-31　D 触发器测试电路

表 1-16　D 触发器 74LS74 功能测试数据记录表

操作顺序	PR	CLR	CLK	D	Q^n	Q^{n+1}
1	0	1	X	X	X	
2	1	0	X	X	X	
3	1	1	↑	0	0	
4	1	1	↑	0	1	
5	1	1	↑	1	0	
6	1	1	↑	1	1	

3. 测试 JK 触发器的逻辑功能

按图 1-32 连接电路,按表 1-17 的要求设置 74LS112(任意一路)的 J, K 以及 CLR, PR, CLK 的状态,同时测试输出状态,将结果填入表 1-17 中,并分析结果。表中

X 表示可能为"0"或者"1"（注意：不要忘记为 74LS112 供电）。

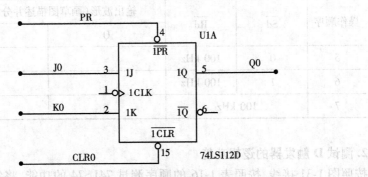

图 1-32　JK 触发器测试电路

表 1-17　JK 触发器 74LS112 功能测试数据记录表

操作顺序	PR	CLR	CLK	J	K	Q^n	Q^{n+1}（解释结果）
1	0	1	X	X	X	0	
2	0	1	X	X	X	1	
3	1	0	X	X	X	0	
4	1	0	X	X	X	1	
5	1	1	↓	0	0	0	
6	1	1	↓	0	0	1	
7	1	1	↓	0	1	0	
8	1	1	↓	0	1	1	
9	1	1	↓	1	0	0	
10	1	1	↓	1	0	1	
11	1	1	↓	1	1	0	
12	1	1	↓	1	1	1	

思考题

1. 如何迅速判断 JK 触发器的好坏，如何进行验证？

2. 如何进行 D,JK,T,T′触发器之间的转换？画出转换电路图。

3. 将 74LS74 转换为 JK 触发器，这个触发器和 74LS112 实现的 JK 触发器有

何不同？

实验六 简单时序电路设计

组合逻辑电路在任意时间的输出信号仅仅由该时刻的输入决定,而时序逻辑电路在任意时间的输出信号不仅与当时的输入信号有关,还与电路原来的状态有关,因此时序电路中除了具有逻辑运算功能的组合电路外,还必须有能够记忆电路状态的储存单元或延迟单元。时序电路分为异步时序逻辑电路和同步时序逻辑电路。

一、实验目的

1. 掌握时序逻辑电路的分析和测试方法。
2. 学会同步、异步时序逻辑电路的设计方法。

二、所用芯片

1. 74LS74 双 D 触发器(使用方法见本章实验五)。
2. 74LS112 带预置清除负触发双 JK 触发器(使用方法见本章实验五)。
3. 74LS00 二输入端四与非门(使用方法见本章实验一)。
4. 74LS86 二输入端四异或门(使用方法见本章实验一)。

三、预习要求

1. 复习分析时序逻辑电路的方法。
2. 复习设计时序逻辑电路的步骤。

四、实验内容

1. 用 D 触发器 74LS74 构成的二进制加计数器

(1)依照逻辑表达式 $D_0 = \overline{Q_0^n}$,$D_1 = \overline{Q_1^n}$,$CP_1 = Q_0^n$ 设计电路如图 1-33 所示。输出端接 LED 电平指示,记录实验结果并填入表 1-18 中。

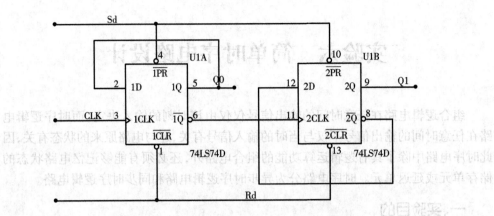

图 1-33　D 触发器构成的异步二进制计数器

表 1-18　74LS74 构成的二进制计数器测试表 1

操作顺序	$\overline{Sd}$	$\overline{Rd}$	CP	Q_0^{n+1}	Q_1^{n+1}
1	0	1	X		
2	1	0	X		
3	1	1	↑		
4	1	1	↑		
5	1	1	↑		
6	1	1	↑		

(2)将 CP 端输入改为 25 kHz 连续脉冲信号,用示波器观察输出端波形,将实验结果填入表 1-19 中,分析输出信号频率与输入频率之间的关系。

表 1-19　74LS74 构成的二进制计数器测试表 2

CP	输出端	波形与频率
25 kHz	Q_0^{n+1}	
	Q_1^{n+1}	
	$f_{Q_0} = $ _____	
	$f_{Q_1} = $ _____	

2. 用 74LS112 构成同步二进制计数器

依照逻辑表达式 $Q_0^{n+1} = \overline{Q_0^n}$，$J_0 = K_0 = 1$，$J_1 = K_1 = Q_0^n$，$CP_0 = CP_1$ 设计电路如图 1-34 所示，自己设计实验步骤和参照表 1-18 和表 1-19 记录测试数据。

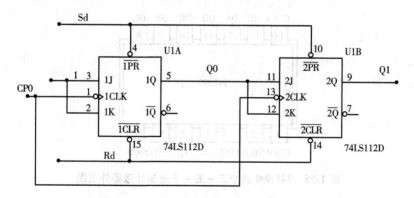

图 1-34　JK 触发器构成的同步二进制计数器

思考题

设计一个 3 进制同步计数器，并验证其设计结果。

实验七　集成计数器及应用

计数器是数字系统中必不可少的组成部分,它不仅用于记录输入脉冲的个数,还大量用于分频、程序控制和逻辑控制等。计数器种类繁多,分类方式也有多种,包括按进制分类、按脉冲输入方式分类、按照加减计数分类等。

一、实验目的

1. 掌握计数器电路的基本原理。
2. 熟练掌握集成计数器的逻辑功能和各个控制端的作用。
3. 学会使用集成计数器设计电路。

二、所用芯片

1. 74LS90 异步二 – 五 – 十进制计数器

74LS90 异步二 – 五 – 十进制计数器外观图如图 1-35 所示。74LS90 管脚功能说明及 74LS90 功能表见表 1-20 和表 1-21。

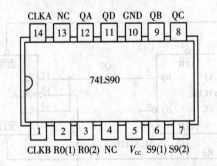

图 1-35　74LS90 异步二 – 五 – 十进制计数器外观图

表 1-20　74LS90 管脚功能说明

引脚	名　称	功　　　能
1	CLKB	异步五进制计数脉冲输入端,$Q_D Q_C Q_B$ 作为输出端
2	$R_{0(1)}$	异步清零:当 $R_{0(1)}$,$R_{0(2)}$ 均为"1";$S_{9(1)}$,$S_{9(2)}$ 中有"0"
3	$R_{0(2)}$	时,实现异步清零功能,即 $Q_D Q_C Q_B Q_A = 0000$

表 1-20（续）

引脚	名　称	功　　能
4	NC	空
5	V_{CC}	提供高电平给芯片供电
6	$R_{9(1)}$	置 9 端：当 $R_{9(1)}$，$R_{9(2)}$ 均为"1"；$R_{0(1)}$，$R_{0(2)}$ 中有"0"
7	$R_{9(2)}$	时，实现置 9 功能，即 $Q_D Q_C Q_B Q_A = 1001$
8	Q_C	五进制计数输出端
9	Q_B	五进制计数输出端，CLKB 为输入端
10	GND	接地，作为低电平(0 V)
11	Q_D	五进制计数输出端，CLKB 为输入端
12	Q_A	二进制计数输出端，计数脉冲从 CLKA 输入
13	NC	空
14	CLKA	二进制计数脉冲输入，Q_A 为输出端

表 1-21　74LS90 功能表

输　　　入				输　　　出			
$R_{0(1)}$	$R_{0(2)}$	$R_{9(1)}$	$R_{9(2)}$	Q_D	Q_C	Q_B	Q_A
H	H	L	X	L	L	L	L
H	H	X	L	L	L	L	L
L	X	H	H	H	L	L	H
X	L	H	H	H	L	L	H
X	L	X	L	计数			
L	X	L	X	计数			
L	X	X	L	计数			
X	L	L	X	计数			

注：①若将 CLKB 和 Q_A 相连，计数脉冲由 CLKA 输入，Q_D，Q_C，Q_B，Q_A 作为输出端，则构成异步 8421 码十进制加法计数器；

②若将 CLKA 与 Q_D 相连，计数脉冲由 CLKB 输入，Q_A，Q_D，Q_C，Q_B 作为输出端，则构成异步 5421 码十进制加法计数器。

通过不同的连接方式（表 1-22），74LS90 可以实现四种不同的计数功能；还可借

助 $R_{0(1)}$，$R_{0(2)}$ 对计数器清零，借助 $R_{9(1)}$，$R_{9(2)}$ 将计数器置9。图 1-36 至图 1-39 分别举例说明用 74LS90 实现 8421 不同 BCD 编码、不同位数的计数电路。

表 1-22　74LS90 计数真值表

CLKB 与 Q_A 相连构成的 8421 码					CLKA 与 Q_D 相连构成的 5421 码				
CLKA	Q_D	Q_C	Q_B	Q_A	CLKB	Q_A	Q_D	Q_C	Q_B
↓(0)	0	0	0	0	↓(0)	0	0	0	0
↓(1)	0	0	0	1	↓(1)	0	0	0	1
↓(2)	0	0	1	0	↓(2)	0	0	1	0
↓(3)	0	0	1	1	↓(3)	0	0	1	1
↓(4)	0	1	0	0	↓(4)	0	1	0	0
↓(5)	0	1	0	1	↓(5)	1	0	0	0
↓(6)	0	1	1	0	↓(6)	1	0	0	1
↓(7)	0	1	1	1	↓(7)	1	0	1	0
↓(8)	1	0	0	0	↓(8)	1	0	1	1
↓(9)	1	0	0	1	↓(10)	1	1	0	0

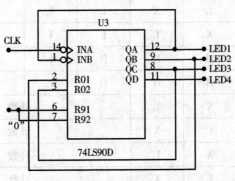

图 1-36　74LS90 构成的 0～5 计数器

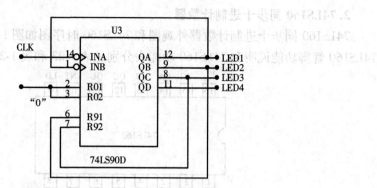

图 1-37 74LS90 构成的 0~5,9 循环计数器

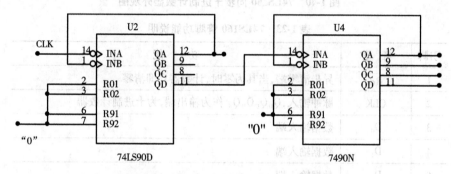

图 1-38 74LS90 构成的一百进制计数器

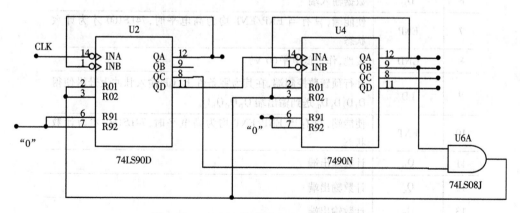

图 1-39 74LS90 构成的二十四进制计数器

2. 74LS160 同步十进制计数器

74LS160 同步十进制计数器外观图和 74LS160 时序图如图 1-40 和图 1-41 所示。74LS160 管脚功能说明和 74LS160 功能表分别见表 1-23 和表 1-24。

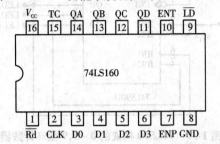

图 1-40　74LS160 同步十进制计数器外观图

表 1-23　74LS160 管脚功能说明

引脚	名　称	功　　能
1	$\overline{Rd}$	异步清零端,当其为零时,计数器立即清零
2	CLK	脉冲输入,$Q_D Q_C Q_B Q_A$ 作为输出端,为十进制计数器
3	D_0	数据输入端
4	D_1	数据输入端
5	D_2	数据输入端
6	D_3	数据输入端
7	ENP	使能端,只有当 ENP/ENT 均为高电平时,74LS160 才为计数状态
8	GND	接地,作为低电平(0 V)
9	$\overline{LD}$	并行预置数控制端,在其为零条件下,CP 输入脉冲上升沿使得 $D_3 D_2 D_1 D_0$ 送到输出端 $Q_D Q_C Q_B Q_A$
10	ENT	使能端,只有当 ENP/ENT 均为高电平时,74LS160 才为计数状态
11	Q_D	计数输出端
12	Q_C	计数输出端
13	Q_B	计数输出端
14	Q_A	计数输出端
15	TC	计数进位标志位,当 $Q_D Q_C Q_B Q_A$ 为 1001 时,它为高电平
16	V_{CC}	提供高电平给芯片供电

表 1-24　74LS160 功能表

输　　入					输　　出		功能
$\overline{Rd}$	$\overline{LD}$	CP	ENT/ENP	$D_3 D_2 D_1 D_0$	$Q_D Q_C Q_B Q_A$	TC	
0	X	X	X　X	XXXX	0000	—	异步清零
1	0	↑	X　X	D3D2D1D0	D3D2D1D0	—	同步置数
1	1	X	0　1	XXXX		—	保持
1	1	X	X　0	XXXX		L	保持
1	1	↑	1　1	XXXX		—	计数
1	X	X	X　1	XXXX	1001	1	

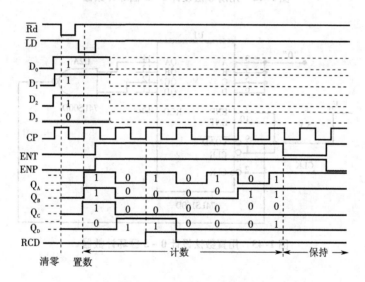

图 1-41　74LS160 时序图

从图 1-41 可以看出,清零端为低电平时清零操作立即生效,而置数操作只有在脉冲到来后才生效! 当 $Q_D Q_C Q_B Q_A = 1001$ 时,TC 为高电平,且保持一个脉冲周期。

图 1-42 至图 1-46 是用 74LS160 设计的不同模的计数器电路举例。

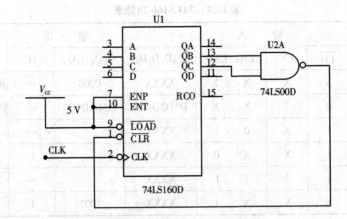

图 1-42　用清零法设计 0 ~ 5 循环计数器

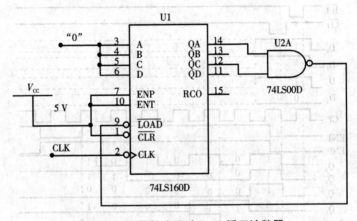

图 1-43　用置数法设计 0 ~ 5 循环计数器

从图 1-41 可以看出，清零端输入低电平时需要零激励操作，即需要操作两只同在。

接到图水器木上总别，将 $Q_3Q_2Q_1Q_0$ 置为 0000 时，TC 为高电平，且保持一个状态周期。

图 1-42 表示用甲 74LS160 设计不同循环周期的计数器电路图。

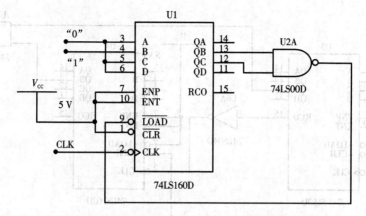

图 1-44　用置数法设计 2~6 循环计数器

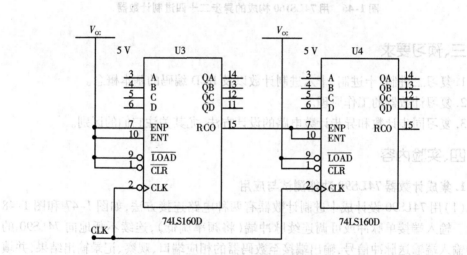

图 1-45　用 74LS160 构成的同步一百进制计数器

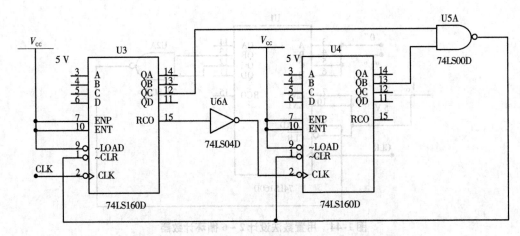

图 1-46　用 74LS160 构成的异步二十四进制计数器

三、预习要求

1.复习二进制、十进制、十六进制计数以及 BCD 编码的基本概念。

2.复习计数器的工作原理。

3.复习同步计数和异步计数电路的设计方法,尤其关注它们的区别。

四、实验内容

1. 集成计数器 74LS90 功能测试与应用

(1)用 74LS90 设计成十进制计数器有两种电路连接方法,如图 1-47 和图 1-48 所示。输入端接单脉冲或可调连续脉冲端(将频率调低),连续不断地向 74LS90 的脉冲输入端输送脉冲信号,输出端接至数码器的相应端口,观察、记录输出结果,并填入表 1-25 中,同时判定所用芯片的好坏。

注意:对应 5421 码和 8421 码设计计数器,数码管的显示是不同的!

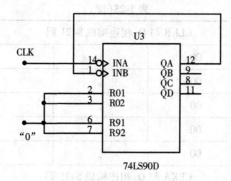

图 1-47 74LS90 构成 8421 十进制计数器

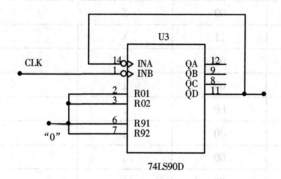

图 1-48 74LS90 构成 5421 十进制计数器

表 1-25 74LS90 功能测试记录表

CLKB 与 Q_A 相连构成 8421 码			
$R_{0(1)}/R_{0(2)}$	$R_{9(1)}/R_{9(2)}$	CLKA	输出 $Q_D Q_C Q_B Q_A$ 变化规律
11	00	X	
00	11	X	
00	00	↓	
00	00	↓	
00	00	↓	
00	00	↓	
00	00	↓	
00	00	↓	

表 1-25（续）

CLKB 与 Q_A 相连构成8421码			
00	00	↓	
00	00	↓	
00	00	↓	
00	00	↓	
00	00	↓	

CLKA 与 Q_D 相连构成5421码			
$R_{0(1)}/R_{0(2)}$	$R_{9(1)}/R_{9(2)}$	CLKA	输出 $Q_A Q_D Q_C Q_B$ 变化规律
11	00	X	
00	11	X	
00	00	↓	
00	00	↓	
00	00	↓	
00	00	↓	
00	00	↓	
00	00	↓	
00	00	↓	
00	00	↓	
00	00	↓	
00	00	↓	

（2）按照图 1-38 连接电路，输入端接单脉冲或可调连续脉冲（将频率调低），输出端接至数码管的相应端口，观察并记录输出结果；然后修改电路，将计数范围改为 100 以内的任意值（比如学号的后两位值），再观察结果。

2. 集成计数器 74LS160 功能测试

（1）按照表 1-26 设定的参数测试 74LS160 的功能，脉冲输入端接单脉冲或可调连续脉冲（将频率调低），输出端接至数码管的相应端口，观察并记录输出结果，同时判定所用芯片的好坏。

表 1-26 74LS160 功能测试记录

输　　入					输　　出		功能描述
$\overline{Rd}$	$\overline{LD}$	CP	（ENP/ENT）	DCBA	$Q_D Q_C Q_B Q_A$	RCO	
0	X	X	X X	0011			
1	0	↑	X X	0011			
1	1	↑	1 1	0011			
1	1	↑	1 1	0011			
1	1	↑	1 1	0011			
1	1	↑	1 1	0011			
1	1	↑	1 1	0011			
1	1	100 kHz 脉冲信号	1 1	0011	$f_{Q_A} =$ $f_{Q_B} =$ $f_{Q_C} =$ $f_{Q_D} =$		

（2）用 74LS160 设计一个从 2~7 循环的计数器,用点脉冲作为输入验证你的设计结果。

思考题

1. 用 74LS90 设计一个计数器,计数器变化规律为 0,1,2,3,9,0,1,2…

2. 用 74LS160 将 200 kHz 的脉冲信号分频为 50 kHz 的脉冲信号。

实验八 移位寄存器及应用

具有移位功能的寄存器称为移位寄存器。移位寄存器按功能可分为单向移位寄存器和双向移位寄存器两种;按输入输出信息的方式可分为并行输入并行输出、并行输入串行输出、串行输入并行输出、串行输入串行输出及多功能等方式。使用移位寄存器时可根据任务要求,从器件手册中选出合适器件,查出准确的功能表,掌握器件特性,使得应用更为灵活。

一、实验目的

1. 掌握移位寄存器的功能特性。
2. 熟练阅读实验所用芯片的功能表。
3. 会用该器件去实现各种逻辑电路。

二、所用芯片

74LS194 外观图如图 1-49 所示。74LS194 管脚功能说明及位移寄存器功能表分别见表 1-27 和表 1-28。

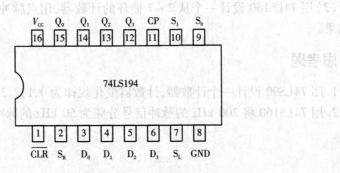

图 1-49　74LS194 外观图

表 1-27　74LS194 管脚功能说明

引脚	名　称	功　　能
1	$\overline{CLR}$	异步清零端,当其为零时计数器立即清零
2	S_R	右移输入端

表 1-27（续）

引脚	名　称	功　　能
3	D_0	数据输入端
4	D_1	数据输入端
5	D_2	数据输入端
6	D_3	数据输入端
7	S_L	左移输入端
8	GND	接地端
9	S_0	与 S_1 一起操作控制模式
10	S_1	与 S_0 一起操作控制模式
11	CP	时钟脉冲输入端
12	Q_3	数据输出端
13	Q_2	计数输出端
14	Q_1	计数输出端
15	Q_0	数据输出端
16	V_{CC}	提供高电平给芯片供电

表 1-28　74LS194 移位寄存器功能表

输　　入					输　　出	功能
$\overline{CLR}$	S_1/S_0	S_L/S_R	$D_0 D_1 D_2 D_3$	CLK	$Q_0 Q_1 Q_2 Q_3$	
0	X X	X X	X X X X	X	0 0 0 0	复位
1	1 1	X X	A B C D	↑	A B C D	置数
1	1 0	D_L X	X X X X	↑	$Q_1^n\ Q_2^n\ Q_3^n\ D_L$	左移
1	0 1	X D_R	X X X X	↑	$D_R\ Q_0^n\ Q_1^n\ Q_2^n$	右移
1	0 0	X X	X X X X	↑	$Q_0^n\ Q_1^n\ Q_2^n\ Q_3^n$	保持

三、预习要求

1. 复习 74LS194 工作原理及各管脚的作用。

2. 按照实验电路,分析输出结果。

四、实验内容

1. 集成移位寄存器 74LS194 功能测试与应用

按照图 1-50 连接电路,输入端接单脉冲或可调连续脉冲(将频率调低),输出端接至数码管的相应端口,观察并记录输出结果(记入表 1-29 中)。

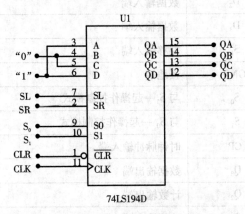

图 1-50　移位寄存器 74LS194 模块测试电路

表 1-29　74LS194 功能测试数据记录表

数　据　设　定				记录输出的变化规律 (每一组输入数据要观察五个以上脉冲输入)
$\overline{\text{CLR}}$	S_1/S_0	S_L/S_R	CLK	$Q_0\ Q_1\ Q_2\ Q_3$
0	X X	1 0	X	
1	1 1	1 0	↑	
1	1 1	0 1	↑	
1	1 0	1 0	↑	
1	1 0	0 1	↑	
1	0 1	1 0	↑	
1	0 1	0 1	↑	
1	0 0	1 0	↑	
1	0 0	0 1	↑	

2. 构成环形计数器

环形计数器实际上就是一个自循环的移位寄存器。根据初始设备不同,这种电路的有效循环常常是循环移位一个"1"或者一个"0"。

按图 1-51 接线,输入端接单脉冲或可调连续脉冲(将频率调低),输出端接至数码管的相应端口,观察并记录输出结果于表 1-30 中,分析所观察到的结果。

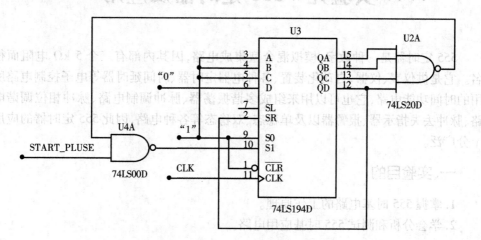

图 1-51　74LS194 构成的环形计数器

表 1-30　环形计数器序列表

START _ PLUSE	CLK	Q_0 Q_1 Q_2 Q_3	分析结果
1	X		
1	↑		
1	↑		
↓			
1	↑		
1	↑		
1	↑		
1	↑		

思考题

1.用 74LS194 构成 16 位双向移位寄存器。

2.用 74LS194 分别实现串行→并行、并行→串行的数据转换,其数据输入是 1011,1001,1111。

实验九 555 定时器及应用

555 定时器是一种数字、模拟混合型集成电路,因其内部有三个 5 kΩ 电阻而得名。它是供仪表、仪器、自动化装置、各种电器定时器、时间延时器等电子控制电路所用的时间功能电路,它也可以用来组成多谐振荡器、脉冲调制电路、脉冲相位调谐电路、脉冲丢失指示器、报警器以及单稳态、双稳态等各种电路,因此 555 定时器的应用十分广泛。

一、实验目的

1. 掌握 555 时基电路的工作原理。
2. 学会分析和测试 555 时基应用电路。

二、所用芯片

555 外观图和内部电路分别如图 1-52 和图 1-53 所示。555 芯片管脚功能见表 1-31。

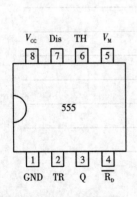

图 1-52 555 外观图

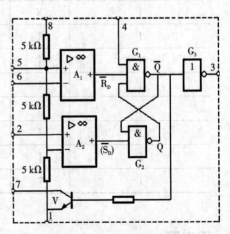

图 1-53 555 内部电路

表 1-31 555 芯片管脚功能

引脚	名　称	功　　能
1	GND（接地）	芯片接地端
2	TR（触发）	当此引脚电压将至 $\frac{1}{3}V_{CC}$（或由控制端决定的阈值电压）时,给出高电平
3	Q（输出）	输出高电平（ $+V_{CC}$ ）或低电平
4	$\overline{R_D}$（复位）	当此引脚接高电平时定时器工作,当此引脚接地时芯片复位,输出低电平
5	V_M（控制）	控制芯片的阈值电压。当管脚接空时默认两阈值电压为 $\frac{1}{3}V_{CC}$ 与 $\frac{2}{3}V_{CC}$
6	TH（阈值）	当此引脚电压升至 $\frac{2}{3}V_{CC}$（或由控制端决定的阈值电压）时输出端给出低电平
7	DIS（放电）	内接 OC 门,用于给电容放电
8	V_{CC}（供电）	提供高电平给芯片供电

555 定时器的特点:

（1）555 定时器外部接几个电阻、电容器件就可以方便地构成施密特触发器、多谐振荡器和单稳态触发器等脉冲产生电路与整形电路;

（2）555 定时器具有一定的输出功率,因此可直接驱动微电机、指示灯和扬声器等设备,该器件有双极型和 CMOS 型两类产品,双极型产品型号最后三位为 555,CMOS 型产品型号最后四位为 7555,它们的功能以及外部引线排列完全相同;

（3）555 定时器电源电压范围宽,双极型的电源电压为 5 ~ 15 V,CMOS 型的电源电压为 3 ~ 18 V,能够提供与 TTL 及 CMOS 数字电路兼容的逻辑电平。

三、预习要求

1. 熟悉 555 定时器的功能和管脚排列。

2. 分析实验电路各个检测点的输出波形。

四、实验内容

1. 用 555 定时器构成施密特触发器

按照图 1-54 连接电路,构成施密特触发器。

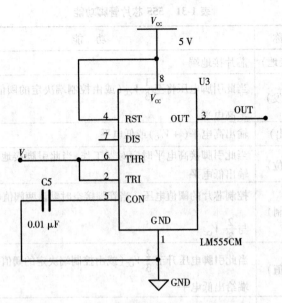

图 1-54　用 555 定时器构成的施密特触发器

施密特触发器也有两个稳定状态,但与一般触发器不同的是,施密特触发器采用电位触发方式,其状态由输入信号电位维持;对于负向递减和正向递增两种不同变化方向的输入信号,施密特触发器的输出有不同的阈值电压 U_{oH} 和 U_{oL}。施密特触发器工作波形图如图 1-55 所示。

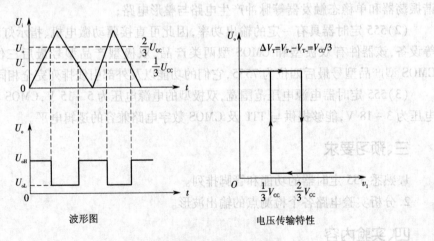

波形图　　　　　　　　　电压传输特性

图 1-55　施密特触发器工作波形图

分别将输入端 V_i 接入一定幅度的正弦波和三角波,用示波器观察输出端 OUT

的波形,并分析输出电压变化的原因。

2. 用 555 定时器构成多谐振荡器

按照图 1-56 连接电路,构成多谐振荡器。该电路输出波形具有以下参数:振荡周期 $T \approx 0.7(R_1 + 2R_2)C_2$;振荡频率 $f = 1/T$;波形占空比 $q = (R_1 + R_2)/(R_1 + 2R_2)$。

按表 1-32 给定的顺序改变定时参数 R_2,C_2,用示波器观测输出 U_o 的波形,并将理论值和测量值填入表 1-32 中,同时分析误差出现的原因。

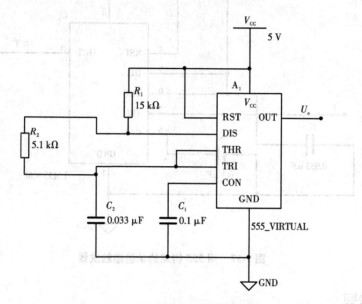

图 1-56 用 555 构成的多谐振荡器

表 1-32 多谐振荡器数据记录表

参 数		理 论 值		测 量 值	
R_2	C_2	T	U_o	T	U_o
5.1 kΩ	0.033 μF				
5.1 kΩ	0.1 μF				
15 Ω	0.1 μF				

3. 用 555 定时器构成单稳态触发器

(1)按照图 1-57 连接电路,构成单稳态触发器,输入端 V_i 的频率为 25 kHz。用示波器观察 OUT 端和 V_i 端的波形,画出所观察到的波形,并测量输出脉冲的宽度 T_W。

（2）改变 V_i 的频率，再观察输出的变化并记录下来。

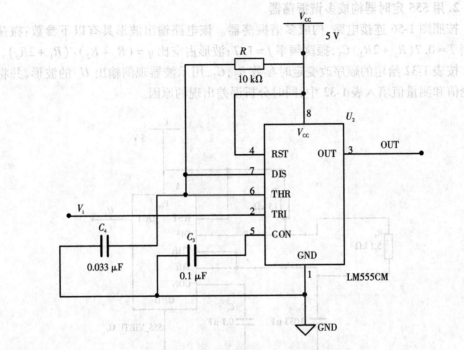

图1-57　用555构成的单稳态触发器

思考题

用555定时器设计一个声音报警电路。

实验十　A/D,D/A 转换器及应用

　　随着计算机技术的发展与普及,在现代控制、通信及检测领域中,信号的处理无不广泛地采用计算机设备。如果要借助计算机的快速性来帮助我们进行数据处理就要将自然界当中的各种物理量送到计算机中。可是自然界中的物理量(如温度、压力、液位、流量等)都是模拟量,而计算机内部运算的是数字量,因此就要借助 A/D,D/A 转换器实现模拟量和数字量互相转换。A/D 转换器可以将模拟量转换为计算机能够识别的数字量,而 D/A 转换器就是将计算机的计算结果转换为能够驱动执行机构的模拟量。

一、实验目的

1. 掌握 D/A 转换器 DAC0832 的转换过程和原理。
2. 掌握 A/D 转换器 ADC0809 的转换过程和原理。

二、所用芯片

1.八位数模转换器 DAC0832

其外观图如图 1-58 所示,内部结构如图 1-59 所示,管脚功能说明见表 1-33。

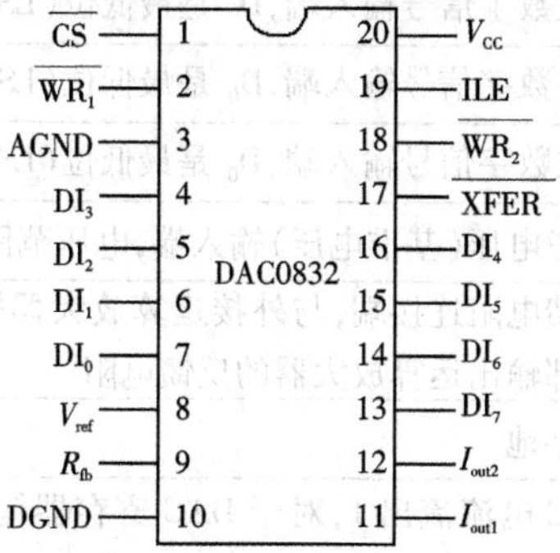

图 1-58　DAC0832 外观图

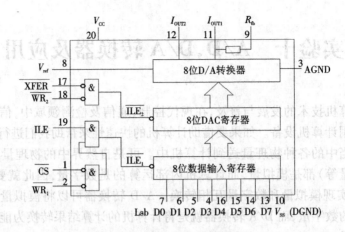

图 1-59　DAC0832 内部结构

表 1-33　DAC0832 芯片管脚功能说明

引脚	名　称	功　能
1	$\overline{CS}$	输入寄存器选通信号,低电平有效,同 ILE 组合选通$\overline{WR_1}$
2	$\overline{WR_1}$	输入寄存器写信号,低电平有效,当$\overline{CS}$和 ILE 同时有效时,$\overline{WR_1}$为低电平时,则将输入数字信号装入输入寄存器
3	AGND	模拟地
4	D_3	8 位数字信号输入端,D_0 是最低位(LSB),D_7 是最高位(MSB)
5	D_2	8 位数字信号输入端,D_0 是最低位(LSB),D_7 是最高位(MSB)
6	D_1	8 位数字信号输入端,D_0 是最低位(LSB),D_7 是最高位(MSB)
7	D_0	8 位数字信号输入端,D_0 是最低位(LSB),D_7 是最高位(MSB)
8	V_{REF}	参考电压(基准电压)输入端,电压范围为 $-10 \sim 10$ V
9	R_{fb}	反馈电阻连接端,与外接运算放大器输出端短接,用来作这个外部输出运算放大器的反馈电阻
10	DGND	数字地
11	I_{out1}	DAC 电流流出 1,对于 DAC 寄存器输出全为"1"时,I_{out1} 最大;DAC 寄存器输出全为"0"时,I_{out1} 为零
12	I_{out2}	DAC 电流流出 2,对于 DAC 寄存器输出全为"0"时,I_{out1} 最大;DAC 寄存器输出全为"1"时,I_{out1} 为零,所以 $I_{out1} + I_{out2}$ 为常数
13	D_7	8 位数字信号输入端,D_0 是最低位(LSB),D_7 是最高位(MSB)

表 1-33(续)

引脚	名　称	功　能
14	D_6	8 位数字信号输入端，D_0 是最低位(LSB)，D_7 是最高位(MSB)
15	D_5	8 位数字信号输入端，D_0 是最低位(LSB)，D_7 是最高位(MSB)
16	D_4	8 位数字信号输入端，D_0 是最低位(LSB)，D_7 是最高位(MSB)
17	$\overline{XREF}$	传送控制信号，低电平有效，用来控制 $\overline{WR_2}$ 选通 DAC 寄存器
18	$\overline{WR_2}$	DAC 寄存器写信号，低电平有效，当 $\overline{WR_2}$ 和 $\overline{XREF}$ 同时有效时，将输入寄存器的数据装入 DAC 寄存器
19	ILE	输入寄存器允许信号，高电平有效，与 CS 组合选通 $\overline{WR_1}$
20	V_{CC}	芯片电源端，可以为 5～15 V，15 V 是最佳工作状态

2. 八位模数转换器 ADC0809

ADC0809 外观图和内部结构分别如图 1-60 和图 1-61 所示。APC0809 芯片管脚功能说明见表 1-34。

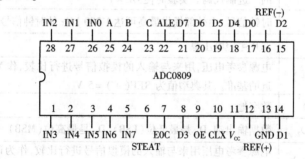

图 1-60　ADC0809 外观图

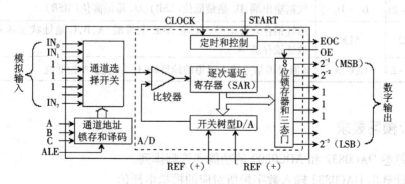

图 1-61　ADC0809 内部结构

表 1-34　ADC0809 芯片管脚功能说明

引脚	名　称	功　能
1－5	IN3～IN7	模拟信号输入通道 3～7
26－28	IN0～IN2	模拟信号输入通道 0～2
6	START	转换启动信号。START 上升沿时,复位 ADC0809；START 下降沿时,启动芯片,开始进行 A/D 转换；在 A/D 转换期间,START 应保持低电平。本信号有时简写为 ST
7	EOC	转换结束信号输出端:转换开始后,此引脚变为低电平,转换一结束,此引脚变为高电平。通过其电平的高低可知道转换是否已结束(因模数转换需要时间)。通常 ST,EOC,ALE 连在一起构成自动连续转换方式
8	D_3	数据输出端,D_0 是最低位(LSB),D_7 是最高位(MSB)
9	OE	允许输出信号控制端:用于控制是否向外输出已转换的二进制代码。当 OE＝0 时,不输出二进制代码；OE＝1,可输出已转换的二进制代码。实验时使 OE＝1
10	CLK	时钟信号,由外部提供最高可达 1 280 kHz 的时钟信号
11	V_{CC}	芯片主控电压源
12	REF(＋)	电源参考电压,用来与输入的模拟信号进行比较,作为逐次逼近的基准。其典型值为 REF(＋)＝5 V
13	GND	数字地
14－15	D_1～D_2	数据输出端,D_0 是最低位(LSB),D_7 是最高位(MSB)
16	REF(－)	电源参考电压用来与输入的模拟信号进行比较,作为逐次逼近的基准。其典型值为 REF(－)＝－5 V 或 0 V
17－21	D_3～D_7	数据输出端,D_0 是最低位(LSB),D_7 是最高位(MSB)
22	ALE	地址锁存允许信号。对应 ALE 上跳沿,A,B,C 地址状态送入地址锁存器中
23－25	C,B,A	8 路模拟信号输入通道的地址码,C 为高位,A 为低位

三、预习要求

1.熟悉 DAC0832 和 ADC0809 的功能和管脚排列。

2.计算出 DAC0832 输入数字量所对应的模拟电压值。

3.计算出 ADC0809 输入模拟量所对应的数字量的数值。

四、实验内容

1. 用 DAC0832 实现 D/A 转换

（1）电路连接

按照图 1-62 连接电路，然后在输入端接入数字信号，测量模拟输出电压值，将结果填入表 1-35 中。

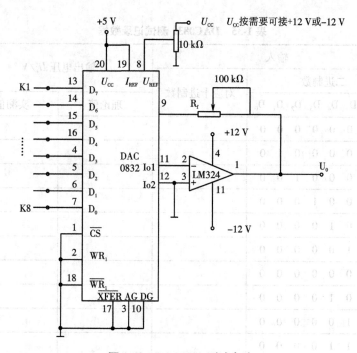

图 1-62　DAC0832 测试电路

（2）输出电压公式

$$U_o = -\frac{U_{REF}}{2^n} \times \frac{R_f + R}{R} \sum_{i=0}^{n-1} D_i 2^i$$

其中 U_o 为输出电压，$\sum_{i=0}^{n-1} D_i 2^i$ 为输入的二进制数对应的十进制数，U_{FER} 为基准电压。对于输入相同的二进制数，U_{FER} 不同，输出电压不同。R_f 为外接负反馈电阻，R 为内接负反馈电阻（在电路内部），由输出电压公式可见：R_f 对输出电压也有影响。

DAC0832 是 8 位数模转换，上式中 $n = 8$，即 $U_o = -\dfrac{U_{REF}}{256} \times \dfrac{R_f + R}{R} \sum_{i=0}^{l} D_i 2^i$。

例如，在实验中我们调整 $U_{REF} = -10\ V$，取 $R_f = 0$，输入数据为 10000000（对应十

进制数为 128），则输出电压为 $U_o = -\dfrac{-10}{256} \times \dfrac{0+R}{R} \times 128 = 5$ V。

若输入数据为 11111111（对应十进制数为 255），则 $U_o = -U_{REF} = 10$ V，此时输出电压为最大值（约等于负的基准电压），称为满量程电压。

（3）测试数据记录

调整 $U_{REF} = -5$ V，取 $R_f = 0$，按表 1-35 输入数据，测量各输出电压。

表 1-35　DAC0832 测试记录数据

输入									输出电压 U_o/V	
二进制数								对应十进制数		
D_7 D_6 D_5 D_4 D_3 D_2 D_1 D_0									理论值	实测值
0 0 0 0 0 0 0 0										
0 0 0 0 0 0 1 0										
0 0 0 0 0 1 0 0										
0 0 0 0 1 0 0 0										
0 0 0 1 0 0 0 0										
0 0 1 0 0 0 0 0										
0 1 0 0 0 0 0 0										
0 1 0 1 0 0 0 0										
0 1 1 0 0 0 0 0										
0 1 1 1 0 0 0 0										
1 0 0 0 0 0 0 0										
1 0 0 1 0 0 0 0										
1 0 1 0 0 0 0 0										
1 0 1 1 0 0 0 0										
1 1 0 0 0 0 0 0										
1 1 1 1 1 1 1 1										

2. 用 ADC0809 实现 A/D 转换

（1）电路连接图

电路连接如图 1-63 所示。

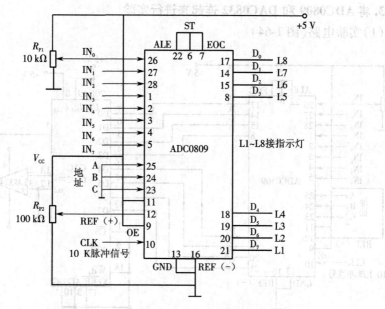

图 1-63　利用 ADC0809 对模拟信号实现 A/D 转换

（2）输出电压公式

$D = U_{IN} \times 256 / U_{REF}$。其中，$U_{IN}$ 为输入电压；U_{FER} 为基准电压；D 为输出二进制代码对应的十进制数。例如，当基准电压 $U_{FER} = 5$ V 时，输入电压 $U_{IN} = 2.1$ V，则 $D = 107.2 \approx 108$，转换为二进制代码为 11011100。

（3）实验内容

调整 $U_{FER} = 4$ V，按表 1-36 改变输入电压，所得数据填入表 1-36（预习时写出理论值）。

表 1-36　ADC0809 实验测试表

输入电压 U_{IN}/V	0	0.5	1.0	1.5	2.0	2.5	3.0	3.5	4.0	4.5	5.0
D 输出理论值（十进制）											
D 输出理论值（二进制）											
D 输出测量值（二进制）											

3. 将 ADC0809 和 DAC0832 连起来进行实验

（1）实验电路（图 1-64）

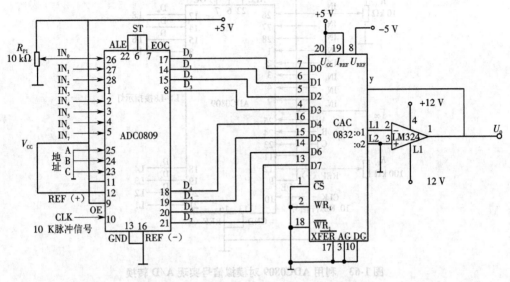

图 1-64　ADC0809 和 DAC0832 级联功能测试

（2）实验内容（表 1-37）

按图 1-64 连接电路，将电压输入到 ADC0809 转换为数字量，再将数字量送入 DAC0832 转换为电压，目的是比较转换前后输入电压和输出电压之间的误差，实验数据填入表 1-37。

表 1-37　ADC0809 和 DAC0832 级联功能测试实验记录表

输入电压 U_{IN}/V	0	0.5	1.0	1.5	2.0	2.5	3.0	3.5	4.0	4.5	5.0
D 输出测量值（二进制）											
输出电压 U_o/V											
输出和输入电压相对误差											

思考题

试分析 DAC0832 输出的满量程电压（电压输出的最大值）和哪些因素有关？

第二章　可编程逻辑器件基础实验

近几十年来,由于电子系统设计复杂程度的不断增加,仅仅使用中小规模集成电路,靠手工进行电子系统的设计已经无法满足要求,更高集成度的芯片、更智能的设计方法是每个电子工程师所必须掌握的。

EDA(Electronic Design Automation,电子设计自动化)工具,就是应这一技术而生的新的设计平台。它是指设计者利用计算机以及相关应用软件就可以完成电路的设计工作。在 EDA 软件平台上,对以原理图或硬件描述语言为系统逻辑描述手段完成的设计文件,自动完成逻辑编译、逻辑化简、逻辑综合及优化、逻辑仿真,直至对特定目标芯片的适配编译、逻辑映射和编程下载等工作。

本章以 10 个简单的数字逻辑电路为例,由浅入深地介绍了采用 Quartus Ⅱ 进行数字系统开发的设计流程、设计思想和设计技巧。

一、实验要求

1. 初步掌握 Quartus Ⅱ 的使用方法。
2. 初步掌握使用 EDA 工具软件进行数字电路设计的全过程。
3. 初步学会用原理图设计方法进行数字电路设计的过程。

二、实验课程所需设备

1. 计算机。
2. EDA 实验箱。
3. 示波器。
4. Quartus Ⅱ软件环境。

三、实验报告要求

1. 总结每个设计电路所用模块的使用方法。
2. 详细叙述程序设计、软件编译、仿真分析及硬件测试过程。
3. 详细记录实验数据。
4. 谈谈每次完成系统设计的心得体会(不用空话套话)。

实验一　Quartus Ⅱ 软件的使用

Quartus Ⅱ是 Altera 公司在 21 世纪初推出的 FPGA/CPLD 开发环境,是 Altera 前一代 FPGA/CPLD 集成开发环境 MAX + PLUS Ⅱ的更新换代产品,其优点是功能强大、界面友好、使用便捷。Quartus Ⅱ软件集成了 Altera 的 FPGA/CPLD 开发流程中所涉及的所有工具和第三方软件接口。通过使用此开发工具,设计者可以创建、组织和管理所有的设计。

Quartus Ⅱ支持的器件主要有 Stratix 系列、Stratix Ⅱ系列、Stratix Ⅲ系列、Cyclone 系列、Cyclone Ⅱ系列、Cyclone Ⅲ系列、HardCopy Ⅱ、APEX 系列、FLEX10k 系列、FLEX6000 系列、MAX Ⅱ系列和 MAX3000 A 系列等。

一、实验目的

初步学会使用 Quartus Ⅱ 的原理图输入方式设计数字电路系统的方法。

二、预习要求

借阅有关 Quartus Ⅱ的资料,详细阅读 Quartus Ⅱ帮助文件,自学 Quartus Ⅱ 使用方法。

三、实验内容

1. 用 Quartus Ⅱ设计数字逻辑电路的基本过程

由于是初次接触 Quartus Ⅱ软件,那就以最简单的全加器电路来说明如何使用这个软件,在 FPGA/CPLD 器件上完成一个数字电路的设计。

全加器有三个输入信号 A_i,B_i,C_{i-1},两个输出信号 S_i,C_i,见表 2-1。在实验测试中分别用三个按键 KEY1,KEY2,KEY3 代表输入信号 A_i,B_i,C_{i-1};两个指示灯 LED1,LED2 表示全加器的计算结果 S_i,C_i。

表 2-1　全加器真值表

输		入	输	出	输		入	输	出
A_i	B_i	C_{i-1}	S_i	C_i	A_i	B_i	C_{i-1}	S_i	C_i
0	0	0	0	0	0	0	1	1	0
0	1	0	1	0	0	1	1	0	1
1	0	0	1	0	1	0	1	0	1
1	1	0	0	1	1	1	1	1	1

操作步骤：

（1）启动 Quartus Ⅱ

双击桌面上 Quartus Ⅱ的图标或从开始菜单启动 Quartus Ⅱ（图2-1，图2-2）。

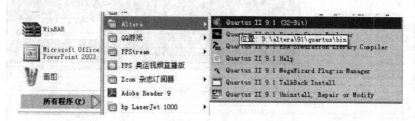

图 2-1　启动 Quartus Ⅱ

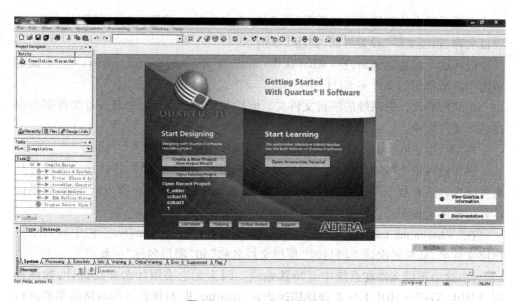

图 2-2　Quartus Ⅱ初始界面

（2）建立项目文件（Quartus Ⅱ通过项目文件管理整个设计内容）

点击 File 菜单选 New Project Wizard… 菜单命令启动新项目向导（图2-3）。

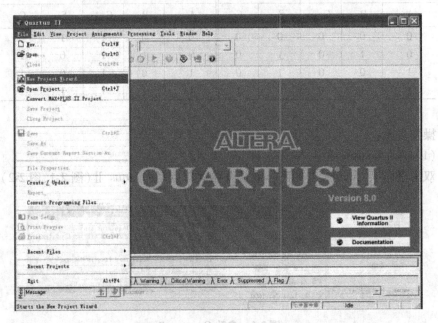

图2-3　启动新建项目引导界面

在随后弹出的新建项目对话框（图2-4）上点击 Next 按钮，进入到"项目文件夹、项目名称、顶层文件"设置界面，如图2-5 所示。

进入这个设置界面后，在"What is the working directory for this project "栏中设定新建项目所使用的文件夹 E：\f_adder。

这是你要设计的系统的项目文件夹。此后关于这个项目的所有设计文件都会存在这个文件夹中。

在"What is the name of this project "栏中输入新项目的名字 f_adder。

强烈建议这个"项目文件夹"和"项目文件名"采用英文名称，并且这个名称应具有可读性。这有利于设计者查找所设计的工程，此处取 f_adder 即为全加器，如果设计音乐播放电路则可以取名为 music。

在"What is the name of the top level design entity for this project?"栏中输入项目顶层文件名，通常初次建立项目时"顶层文件名称"和"项目名称"一致。

注：这个顶层文件在系统中有特殊地位。因为无论采用什么方式设计，如原理图、VHDL、Verilog HDL File 等硬件描述语言，Quartus Ⅱ 对你设计的电路的都要进行编译，而编译的过程是从这个 Top-level 文件即顶层文件开始的，因此一个系统只能

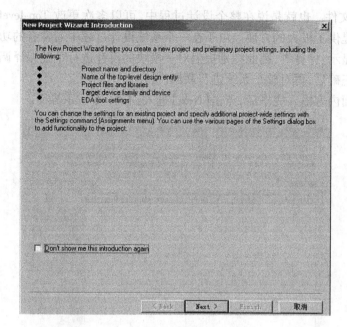

图 2-4　新建项目介绍界面

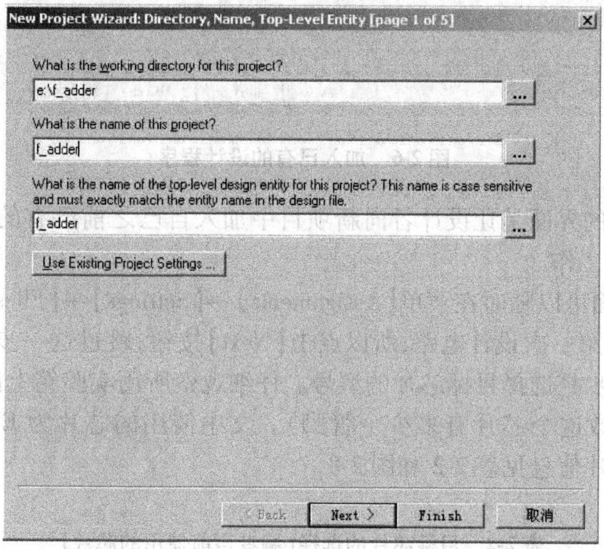

图 2-5　输入项目文件夹、项目名称和 Top-level 文件界面

有一个顶层文件！不过顶层文件是可以重新设定的。具体操作流程为在当前设计电路页面中→菜单【Project】＞＞【Set as top level entity】就可以将当前的设计文件定义

为 Top-level 文件。也就是说在整个设计过程中,可以多次更改 Top-level 文件,这就为调试工作提供了极大的方便。由于在一个系统设计过程中通常有的功能要反复使用,如分频、显示、计算等,因此特别提倡对子模块的设计进行单独编译调试。当各个子模块调试正确后,再对整个系统进行联调。

以上界面内容输入完毕后,点击【Next】进入到图 2-6 所示界面。

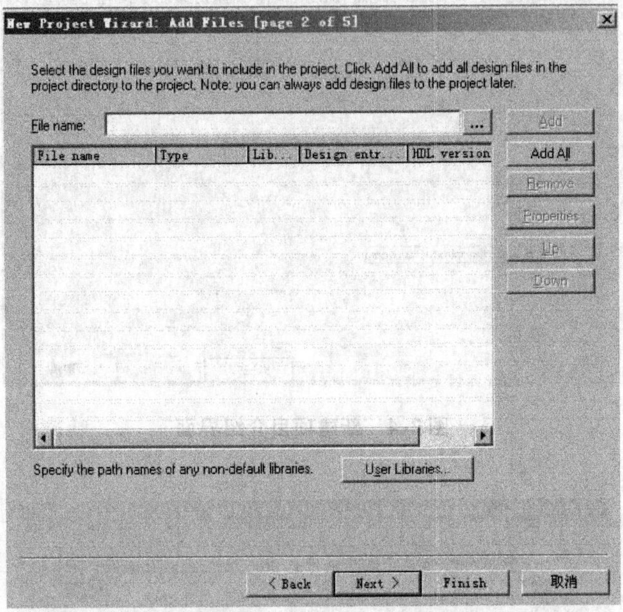

图 2-6　加入已有的设计程序

图 2-6 所示的界面是让设计者向新项目中加入自己之前已有的设计文件,这样可以减少重复性工作。

注:这个界面可以随时在菜单【Assignments】→【Settings】→【Files】中找到。

由于目前是第一次设计电路,所以点击【Next】按钮,跳过这一步,进入下一界面(图 2-7)。这一步是选择目标芯片的型号。仔细观察所用实验箱上的芯片型号进行选择(你可以数数这个芯片有多少个管脚)。文中使用的芯片为 EP1C6Q240C8,有240 个管脚。芯片信息见表 2-2 和图 2-8。

表 2-2　目标芯片的选择(编者当前使用的芯片)

芯片标识	Family 栏	Available devices
Cyclone　EP1C6Q240C8	Cyclone	EP1C6Q240C8

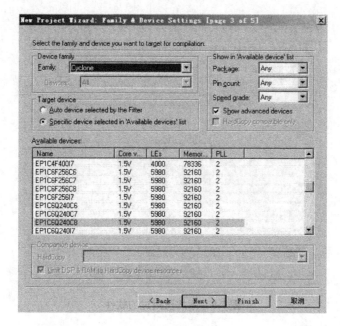

图 2-7　选择目标芯片

　　点击 Next,接着就会出现下面的界面:是否添加第三方软件等工具(图 2-9)。

　　在这一步,可以为新项目指定综合工具、仿真工具、时间分析工具。在这个实验中,使用 Quartus Ⅱ 的默认设置,直接点击 Next 按钮,继续。系统接着会出现图 2-10 所示画面,这个界面显示了到目前为止所有设计的信息,例如,文件所在的文件夹、项目名称、顶层文件名称、设备型号……随着设计的深入,它的内容会不断增加。

图 2-8　Cyclone EP1C6Q240C8 外观图

　　仔细阅读图 2-10 所示 Summary 界面的内容,确认相关设置是否符合设计者的要求,点击 Finish 按钮。到此就完成了新项目的创建,系统进到图 2-11 所示界面,我们就可以开始电路的设计工作了。

　　注意:此时仅仅完成了设计环境的构建,并没有任何电路。

　　到此你可以进入到 E:\F_adder 目录,看看这个文件夹内都有什么内容,那个后缀为.qpf 的文件即为项目文件,如图 2-12 所示。

　　注:项目文件是管理一个系统的文件,因此一个设计系统只能包括一个项目文件(*.qpf)! 而设计文件可以有很多个。f_adder.qsf 为配置文件。

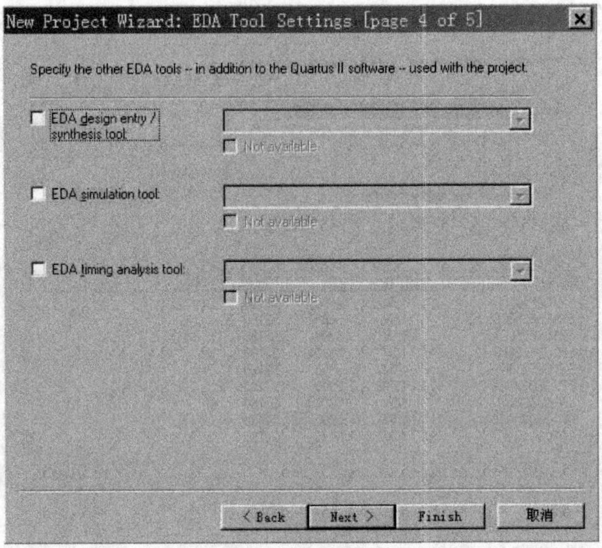

图 2-9　添加已用过的软件

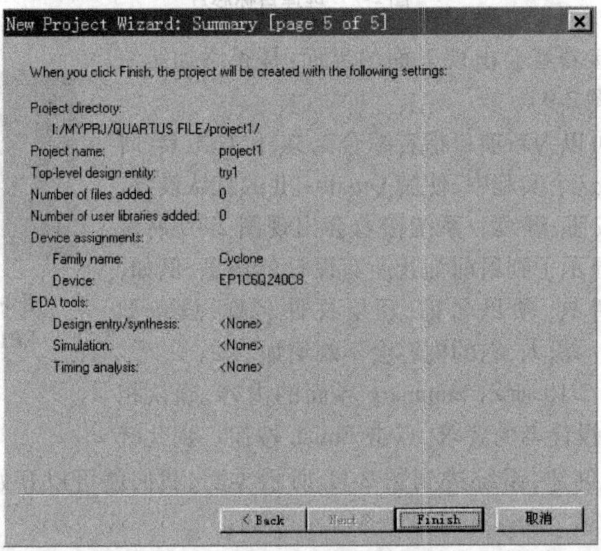

图 2-10　所建项目设置汇总

（3）新建一个原理图文件 Diagram/Schematic File

接下来就要开始设计电路了，这个文件可以是这个系统中的一个子模块，也可以是顶层（Top-level）文件。在 File 菜单下，点击 New 命令。在随后弹出的对话框中选

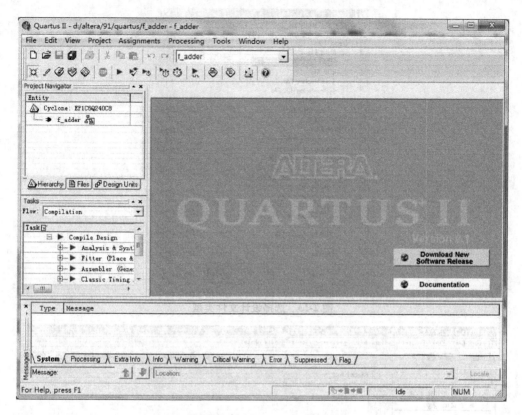

图 2-11 Quartus Ⅱ 集成环境

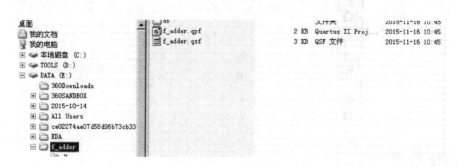

图 2-12 项目文件夹内的文件

择 Block Diagram/Schematic File(图 2-13)。原理图文件名称最多包含 32 个字符,扩展名为". bdf"。进入原理图输入界面(图 2-14)。表 2-3 列出了原理图输入界面中输入工具符号的功能。

图 2-13　选择设计文件类型

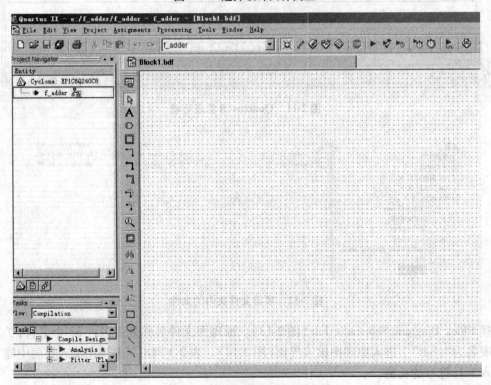

图 2-14　原理图输入方式界面

之所以选择 Block Diagram/Schematic File 形式的设计方式,是因为这种设计方式只要有一点点数字电路知识的人员就可以设计一个不是非常复杂的电子系统,而 AHDL,Verilog HDL 以及 VHDL 的设计方法都要花大量时间学习语言。

表 2-3　原理图输入工具符号功能注释

图符	功　　能
	选取、移动、复制对象,是最基本且常用的功能
A	文字编辑工具(仅用于注释!)
	添加工程中所需要的各种原理图函数和符号
	添加一个图表文件
	画水平、垂直连线,同时可以定义节点名称
	画水平、垂直总线,同时可以定义总线名称
	用于模块之间的连接和映射
	选中此项时,移动图形元件时,脚位和连线不断
	选中后可以选择局部连线
	选中后,单击鼠标左键为放大,单击鼠标右键为缩小
	全屏显示原理图编辑器窗口
	查找节点、总线和元件等
	水平镜像
	垂直镜像
	旋转
	画矩形
	画椭圆、圆
	画直线(非连接导线!)
	画弧线

(4)输入逻辑符号

根据表 2-1 所列全加器真值表,做卡诺图简化,可以得出

$$S_i = A_i \oplus B_i \oplus C_{i-1}; C_{i-1} = A_i B_i + B_i C_{i-1} + C_{i-1} A_i$$

上面的公式显示电路中会需要 2 个“异或门”、3 个“两输入与门”以及 1 个“三输入或门”,因此我们要将这些门放到电路图中。其方法如下:

选择菜单【Edit】> >【Insert Symbol】(图 2-15)或双击原理图设计界面的任一空

白处后会立即弹出图 2-16 所示的插入符号对话框。

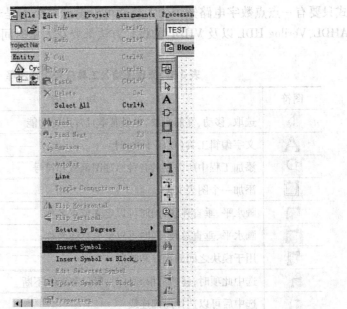

图 2-15　选择插入图形符号菜单

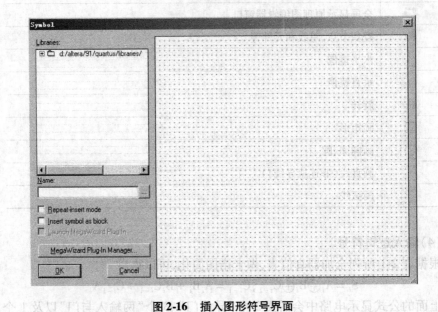

图 2-16　插入图形符号界面

　　在输入图形符号界面中，在 Name 栏目中输入 AND2，我们就得到一个二输入与门，如图 2-17 所示。

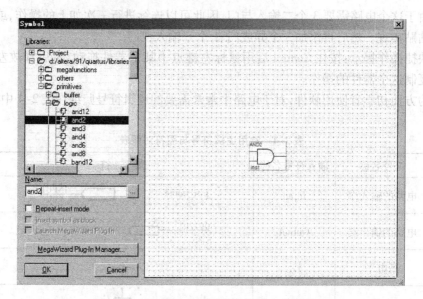

图 2-17　选择输入图形符号界面输入图形符号

你也可以根据所了解的 74 系列芯片的功能在 Name 栏直接输入 74 系列芯片的名称来调用 74 系列芯片的功能(这里只是芯片的功能),如 7408 是 4 个二输入与门,键入 7408,则一个与非门符号会出现在窗口中,如图 2-18 所示。

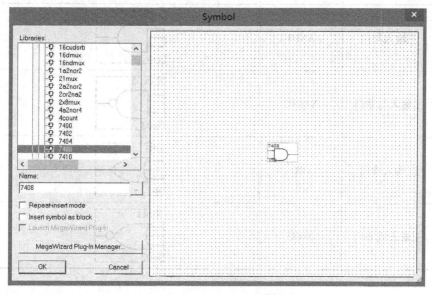

图 2-18　输入 74 系列功能模块

由于这个电路需要 3 个二输入与门,因此可以连续进行三次如上的操作,或通过复制粘贴实现。然后再添加 3 个异或门、1 个三输入或门。

快捷操作提示:按住 Control 后用鼠标左键点中某个器件拖动,然后释放左键就完成复制这个器件的操作。

为方便初学者使用软件,对于电路中常常需要的逻辑符号归纳在表 2-4 中。

表 2-4 常用逻辑符号与图符对照表

符号名称	输入符号名称	图 符
电路的输入端	Input	pin_name ⊳ INPUT VCC
电路的输出端	Output	OUTPUT ▷ pin_name
高电平	V_{CC}	V_{CC}
低电平	GND	GND
二输入与门	AND2	AND2 inst
三输入与门	AND3	AND3 inst
二输入与非门	NAND2	NAND2 inst2
三输入或门	OR3	OR3 inst
三输入或非门	NOR3	NOR3 inst3

表 2-4(续)

符号名称	输入符号名称	图 符
异或门	XOR	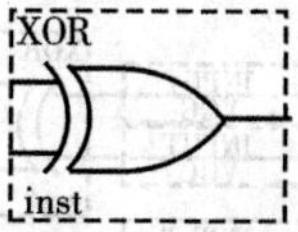XOR inst
同或门	XNOR	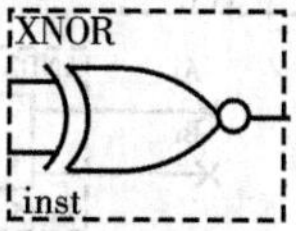XNOR inst
SR 触发器	SRFF	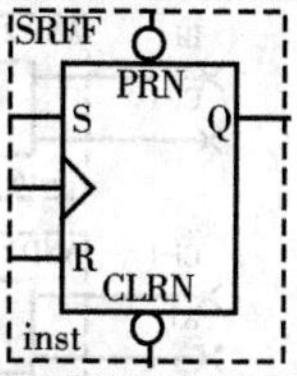SRFF PRN S Q R CLRN inst
D 触发器	DFF	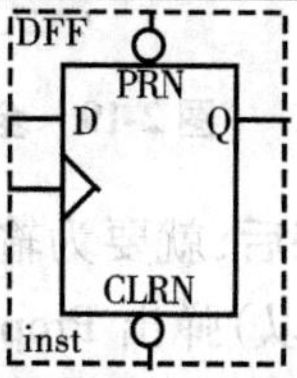DFF PRN D Q CLRN inst
T 触发器	TFF	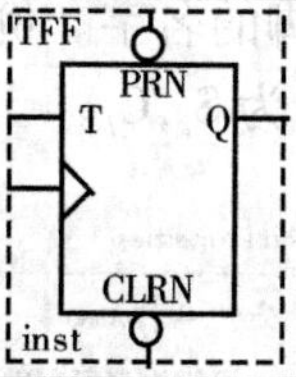TFF PRN T Q CLRN inst
JK 触发器	JKFF	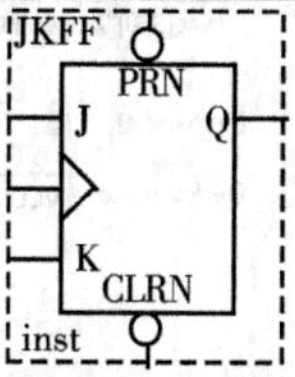JKFF PRN J Q K CLRN inst
电路设计图标题	Title	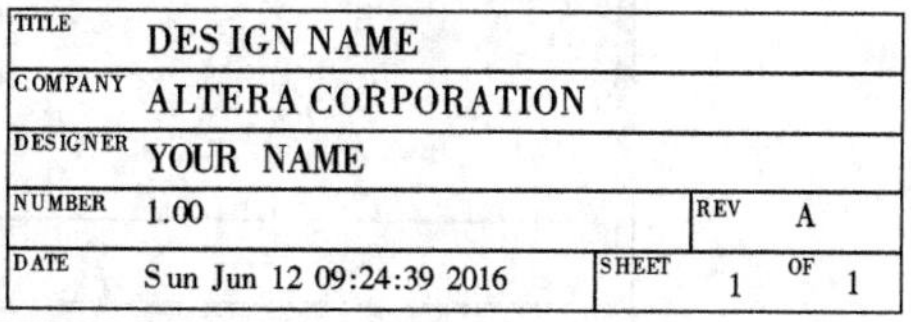TITLE DESIGN NAME COMPANY ALTERA CORPORATION DESIGNER YOUR NAME NUMBER 1.00 REV A DATE Sun Jun 12 09:24:39 2016 SHEET 1 OF 1

(5)连线

放置好逻辑门后,移动鼠标到元件的引脚上时,会显示“ + ”字形状。此时按下鼠标左键并拖动鼠标,就会有导线引出。在连线目标点释放左键就为两点之间连接了导线。根据元器件直接的逻辑关系,依次连好各元件的引脚,结果如图 2-19 所示。

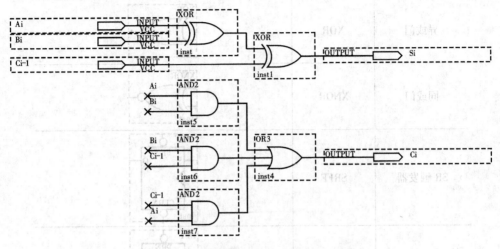

图 2-19　全加器参考程序(f _ adder. bdf)

　　所有线都连接好后,就要为输入输出端命名:用鼠标的右键点击某一个器件或者引线(双击它们也可以)弹出 Properties(属性)对话框,如图 2-20 所示。在这一对话框上,我们可更改引脚的名字。例如我们给 3 个输入引脚分别命名为 A_i,B_i,C_{i-1},2 个输出引脚分别命名为 S_i,C_i。

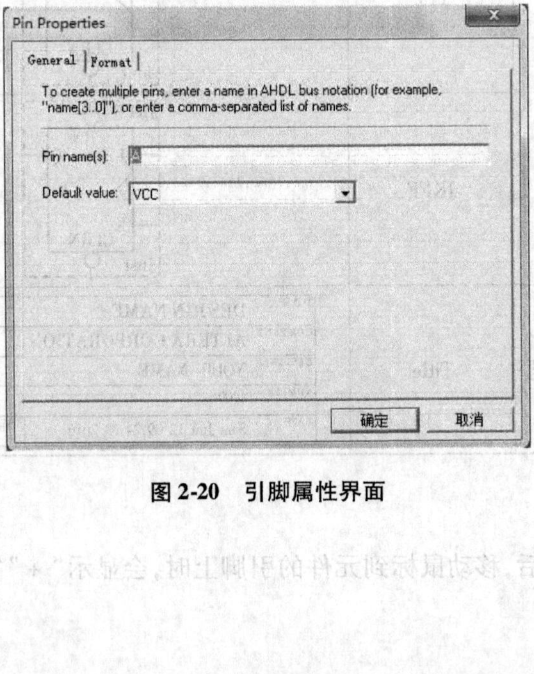

图 2-20　引脚属性界面

（6）保存所输入电路

输入完电路中的所有内容就可以保存电路图文件：【File】＞＞【Save as】，为这个程序命名 f _ adder. bdf，点击保存。这个名字与最初项目文件的设置一致，因此它就是 Top-level 文件了。

（7）编译

编译过程是将软件设计的描述和硬件对应，是将软件转化为硬件电路的关键步骤，是文字描述与硬件实现的一座桥梁。如果没有编译，电路中的符号仅仅是符号和文字！

选择菜单【Processing】＞＞【Start Compilation】或者点击工具栏中的 ▶ 按钮（图2-21），执行编译操作。

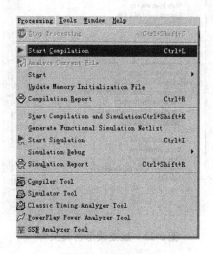

图 2-21　编译电路

如果程序没有错误，则会给出"编译成功"的信息窗口，如图 2-22 所示。此时只能说明电路的逻辑正确，而不能说明设计结果与设计要求一致。要判断设计是否正确要通过仿真和下载到目标芯片来验证。

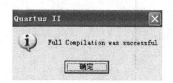

图 2-22　编译成功

（8）仿真

仿真是指在软件环境下验证电路的行为和设计意图是否一致。在电子电路设计领域,仿真与验证是整个设计流程中非常重要而又复杂耗时的步骤。仿真软件的出现使得设计者不用"搭出"实际电路就能验证所设计的电路的正确性,节省了人力、物力、财力。

在将设计下载到实验开发板验证之前,我们先做一下仿真。首先,我们要建立一个仿真文件。在【File】>>【New】命令,选择 Vector Waveform File 选项(图 2-23)点击 OK 按钮,就会进入到仿真界面(图 2-24)。

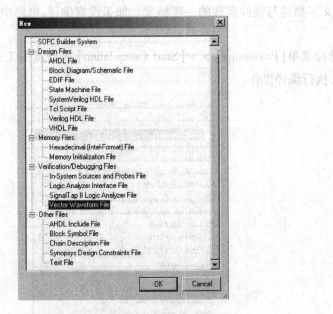

图 2-23 建立波形仿真文件

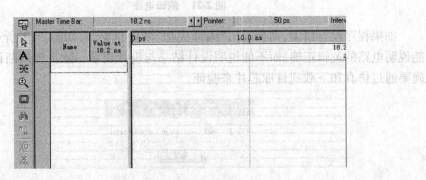

图 2-24 波形仿真文件界面

进入到仿真信息编辑界面(图 2-24)后,双击 Name 列下的空白处或者通过菜单【Edit】>>【Insert Node or Bus…】(图 2-25)输入需要仿真的节点,如图 2-26 所示。

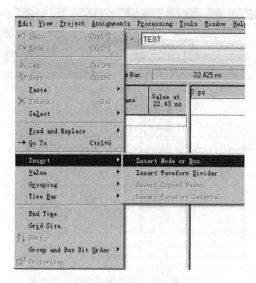

图 2-25　插入节点或总线

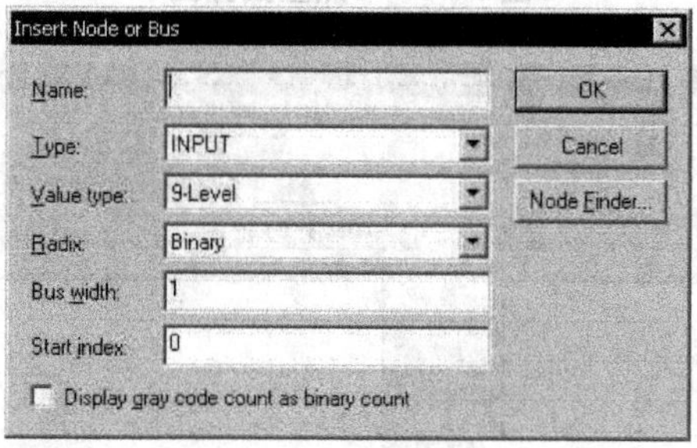

图 2-26　插入仿真点对话框

点击 Node Finder…按钮，寻找节点，进入到 Node Finder 窗口，如图 2-27 所示。

在【Filter】栏中选择【Pin：all】后点击 List，就会出现图 2-28 所示界面。

注：【Filter】栏目中列出了所有的节点类型，选择不同的类型可以加快节点的选择，包括 assigned，pin：unassigned，input，output，bidirectional 和 virtual 等。

选择你要仿真的节点，如图 2-29 所示，点击按钮 ≥ （或双击该点），会将选中节点送到 Selected Nodes 栏中。如果点击 >> 按钮，会将全部节点加入到 Selected Nodes 栏中。也可以在 Selected Node 栏双击某个节点或者点击 ≤ 按钮取消已经选择的节点。点击 << 即取消所有选中的节点，最后点击 OK 按钮进行确认。

选择节点后回到 Insert Node or Bus 对话框后，点击 OK 确认。这就完成了节点

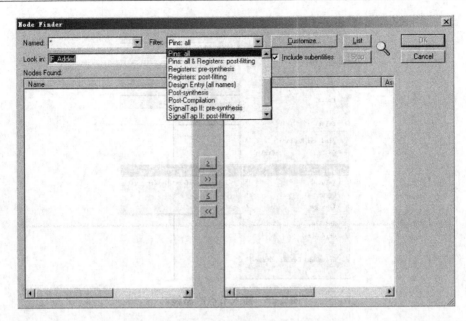

图 2-27　节点查找界面

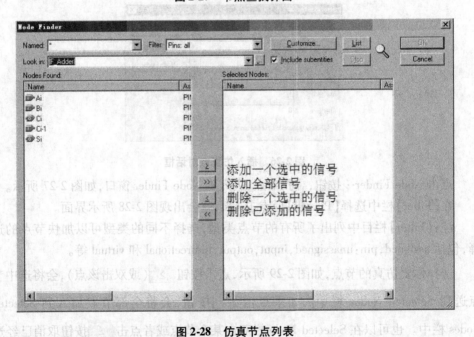

图 2-28　仿真节点列表

选择，这时 A_i，B_i，C_{i-1} 以及 S_i，C_i 均在被仿真列表中，如图 2-30 所示。

接着就要设置各个输入端的状态。例如，输入量 A_i，用鼠标选中 A_i 行中的某一

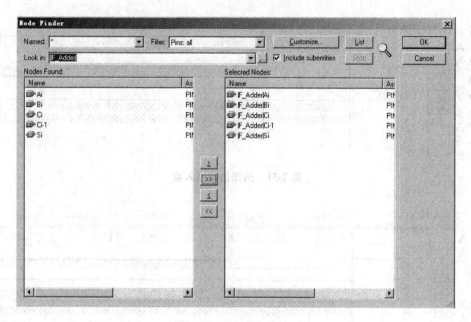

图 2-29 仿真节点的选择

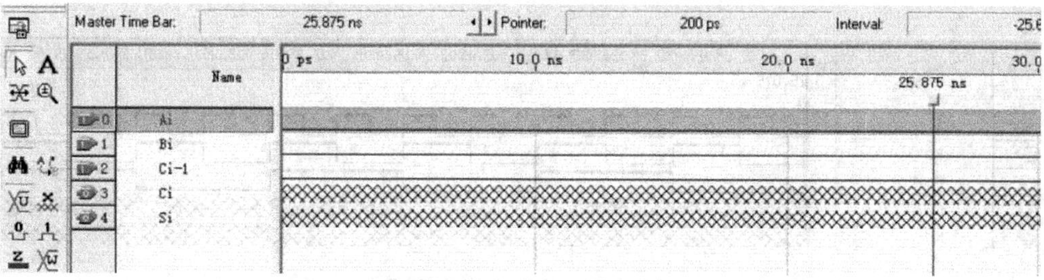

图 2-30 仿真节点建立后界面

段,然后按工具栏中的 按钮后就是将 A_i 设定成了高电平,如图 2-31 和图 2-32 中 A_i 行的灰色区域。依次为 A_i,B_i,C_{i-1} 设定好相应的状态。

表 2-5 列出了仿真工具栏各个工具的作用。

将所有输入信号设定完成后,如图 2-33 所示,保存仿真文件为 f _ adder. vwf。在 Processing 菜单下,选择 Start Simulation 或者点击 ,开始执行仿真。仿真运行结束后,认真观察仿真结果(图 2-34),对比输入与输出之间的逻辑关系是否符合设计的预期值。

从图 2-34 可以验证全加器的输出与输入之间的关系:三个输入信号有奇数 1 个时 S_i 输出高电平,偶数 1 个时 S_i 输出低电平;三个输入信号中只要有 2 个及以上高电

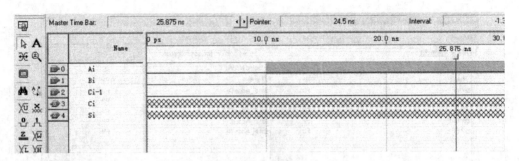

图 2-31　选择仿真输入点

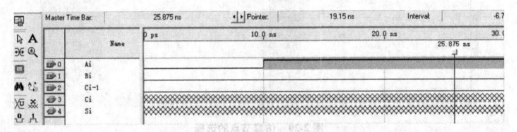

图 2-32　设定仿真点激励值(灰色区域)

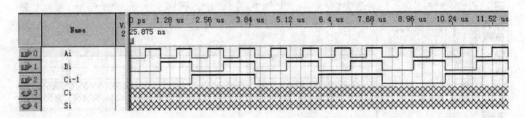

图 2-33　仿真点设定完成

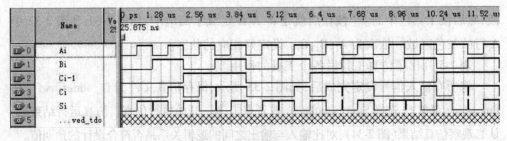

图 2-34　仿真运行完成

平,C_i就会为高电平。

快捷键操作提示:按住 Control 键的同时滚动鼠标的滚轮可以改变窗口的轴分辨率。

表 2-5 波形仿真文件编辑工具图标功能注释

图符	功 能
	选择目标
 A	在波形文件中添加注释
	修改信号的波形值,把选定区域的波形更改成原值的相反值
	放大、缩小键,选中后按左键放大、右键缩小
	全屏显示原理图编辑器窗口
	查找信号名,可以快捷地找到待观察信号
	将信号栏中的名称用另一个名称来代替
U	为选定的信号赋予未初始化状态
X	为选定的信号赋予不定状态
0	为选定的信号赋予 0 值
1	为选定的信号赋予 1 值
Z	为选定的信号赋予高阻态
W	为选定的信号赋予弱信号
L	为选定的信号赋予低电平
 H	为选定的信号赋予高电平
 Dc	为选定的信号赋予不进行赋值
INV	为选定的信号赋予原值的相反值
C	专门设置时钟信号
⊙	把选定的信号用一个时钟信号或周期信号来代替
?	为选定的信号赋值
R	为选定的信号随机赋值

(9)分配管脚

仿真通过后,就要为各个输入输出信号分配管脚。也就是将电路图中的输入、输出端与设计所用的目标芯片 EP1C6Q240C8 的管脚对应上。其方法如下:

在 Assignments 菜单下,点击 Pins 命令(图 2-35),启动 Pin Planner 工具。此时会列出所有可以被分配管脚的节点,如图 2-36 所示。

在 Node Name 栏找到你要分配管脚的节点。在同一行的 Location 栏输入对应的管脚。重复此操作,为每个端子都分配相应引脚,如图 2-37 所示。由于本书作者所使用的实验箱是 SmartEDA,A_i,B_i,C_{i-1} 可以用按键 KEY1,KEY2,KEY3 操作;S_i 和 C_i 用指示灯 LED1,LED2 来表示结果。表 2-6 列出了它们之间的对应关系。

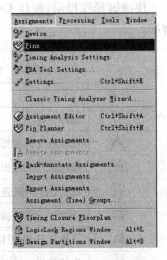

图 2-35 执行分配管脚操作

		Node Name	Direction	Location	I/O Bank	VREF Group	I/O Standard
1		Ai	Input				3.3-V LVTTL (default)
2		Bi	Input				3.3-V LVTTL (default)
3		Ci	Output				3.3-V LVTTL (default)
4		Ci-1	Input				3.3-V LVTTL (default)
5		Si	Output				3.3-V LVTTL (default)
6		<<new node>>					

图 2-36 管脚分配界面(局部)

		Node Name	Direction	Location	I/O Bank	VREF Group	I/O Standard
1		Ai	Input	PIN_121	3	B3_N2	3.3-V LVTTL (default)
2		Bi	Input	PIN_122	3	B3_N2	3.3-V LVTTL (default)
3		Ci-1	Input	PIN_123	3	B3_N2	3.3-V LVTTL (default)
4		Ci	Output	PIN_50	1	B1_N2	3.3-V LVTTL (default)
5		Si	Output	PIN_53			3.3-V LVTTL (default)
6		<<new node>>		PIN_53	IOBANK_1	Row I/O	LVDS2p/DQ0L6
				PIN_54	IOBANK_1	Row I/O	LVDS2n/DQ0L7
				PIN_55	IOBANK_1	Row I/O	VREF2B1
				PIN_56	IOBANK_1	Row I/O	
				PIN_57	IOBANK_1	Row I/O	LVDS1p
				PIN_58	IOBANK_1	Row I/O	LVDS1n
				PIN_59	IOBANK_1	Row I/O	LVDS0p
				PIN_60	IOBANK_1	Row I/O	LVDS0n

图 2-37 选择管脚

表 2-6　全加器各个引脚分配

序号	实验箱上标号	管脚	程序中标签	备注
1	KEY1	121	A_i	键盘
2	KEY2	122	B_i	键盘
3	KEY3	123	C_{i-1}	键盘
4	LED1	50	S_i	指示灯
5	LED2	53	C_i	指示灯

每个指示灯所对应的管脚是实验箱的设计者确定的,SmartEDA 实验箱的所有管脚分配及相关输入和输出电路见附录 B。

分配管脚后必须再次编译才能存储这些引脚分配的信息,这次编译后再看原理图界面你会发现它变成了图 2-38 所示的样子,也可以在 View→Show Location Assignment,取消显示管脚信息。

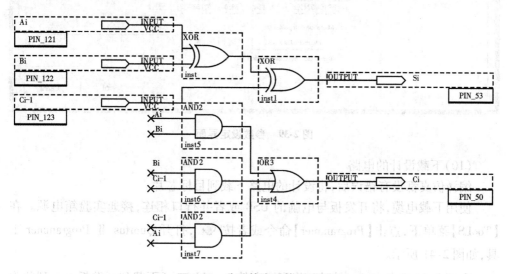

图 2-38　分配管脚后的原理图

注:在菜单【Assignment】下点击【Settings】打开设定参数对话界面,再进入 Device 项,点击 Device and pin options 进入设备和引脚设定界面,在 Unused pins 项中,Reserve all pins 下拉菜单中选中 as input tri-stated,这样芯片上电后所有不使用的引脚将进入高阻状态。否则,可能会造成连接在核心板上的 Flash,SRAM 等未使用的芯片冲突而损坏芯片,如图 2-39 和图 2-40 所示。

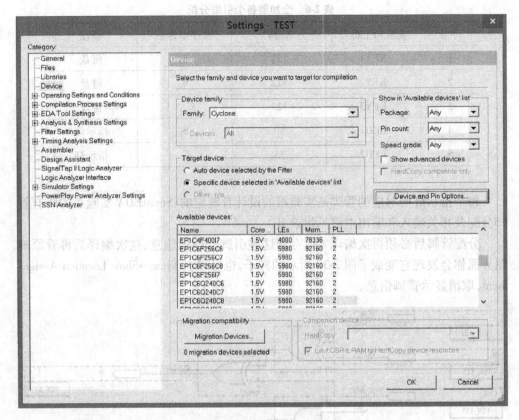

图 2-39　参数设定界面

（10）下载设计的电路

编译仿真都没有错误后,将设计的电路下载到目标芯片。

使用下载电缆,将开发板与电脑的 USB 或者并行口相连,接通实验箱电源。在【TooLS】菜单下,点击【Programmer】命令或者按 🖐 ,打开 Quartus Ⅱ Programmer 工具,如图 2-41 所示。

在图 2-42 中点击 Start 按钮,将配置文件 f_adder. sof 下载到开发板上。到此为止已经将设计的全加器电路送到目标芯片中了。接下来依照表 2-7 操作 KEY1, KEY2,KEY3,使它们达到各种组合,同时观察 LED1,LED2 的状态是否符合真值表,并将结果填写到表 2-7 中。

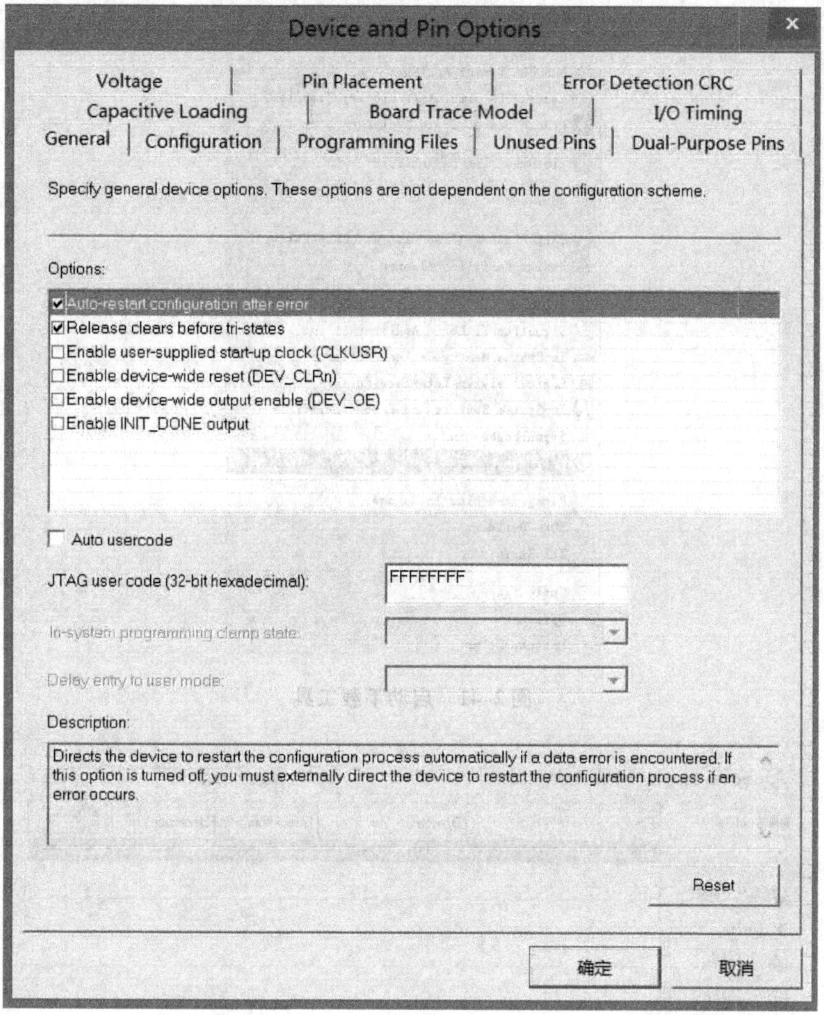

图 2-40 设备和管脚参数设定界面

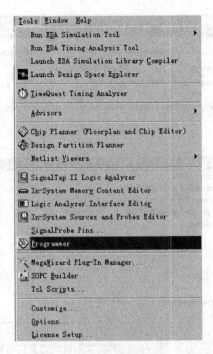

图 2-41　启动下载工具

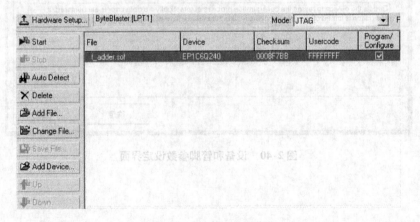

图 2-42　执行下载界面

表 2-7　全加器功能测试记录表格

操作项目	输　入			输　出	
电路节点	A_i	B_i	C_{i-1}	S_i	C_i
外部操作器件	KEY1	KEY2	KEY3	LED1	LED2
操　作	0	0	0		
	0	1	0		
	1	0	0		
	1	1	0		
	0	0	1		
	0	1	1		
	1	0	1		
	1	1	1		

注:SmartEDA 实验箱,按下键盘时,低电平信号送到目标芯片、不按时高电平送到目标芯片的相应端口;输出低电平信号使相应的 LED 指示灯亮,输出高电平信号使相应的 LED 指示灯灭。

2. 课后练习:非门延时现象的观察

(1)在项目文件夹(Test＿Not)中建立项目文件 Test＿not. qpf;

(2)新建原理图文件 Test＿not. bdf,按照图 2-43 输入电路并保存;

(3)编译电路;

(4)功能仿真。

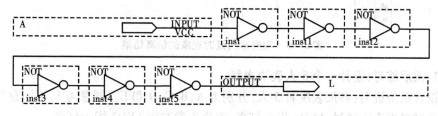

图 2-43　观察非门延时现象的电路原理图

本电路只有一个输入信号而且为连续脉冲信号,这个连续脉冲信号可以通过点击仿真工具栏中的 来设定,见图 2-44。连续脉冲参数设定窗口中的 Period 表示时钟周期。由于逻辑门的操作需要一定的时间,因此 Period 不能过小,通常大于

20 ns。

执行仿真操作,观察仿真结果,测量一下每个非门的延迟时间。图 2-45 是这个电路的仿真结果。通过标尺测量一下总的延迟时间,并计算每个门的平均延迟时间。

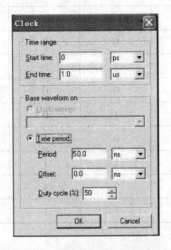

图 2-44　连续脉冲信号参数设定

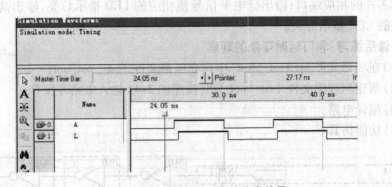

图 2-45　观察非门延时现象的仿真结果

3. 课后练习:设计一个 5 人表决电路

设计系统说明:参加表决者 5 人,分别为 A,B,C,D 和 E。同意为 1,不同意为 0,同意者过半则表决通过,LED1 指示灯亮;表决不通过则 LED2 指示灯亮。

根据要求,该表决器的逻辑表达式可表示为

Y = ABC + ABD + ABE + ACD + ACE + ADE + BCD + BCE + BDE + CDE

由于实验箱中的按键按下为"0",且"0"让 LED 指示灯亮,因此表决器的表达式应变为下式,其中 START 为总指挥按键。

$$Y = \overline{(\overline{ABC} + \overline{ABD} + \overline{ABE} + \overline{ACD} + \overline{ACE} + \overline{ADE} + \overline{BCD} + \overline{BCE} + \overline{BDE} + \overline{CDE})\overline{START}}$$

$$= \overline{(\overline{ABC} + \overline{ABD} + \overline{ABE} + \overline{ACD} + \overline{ACE} + \overline{ADE} + \overline{BCD} + \overline{BCE} + \overline{BDE} + \overline{CDE})} + \overline{\overline{START}}$$

$$= \overline{(\overline{ABC} \cdot \overline{ABD} \cdot \overline{ABE} \cdot \overline{ACD} \cdot \overline{ACE} \cdot \overline{ADE} \cdot \overline{BCD} \cdot \overline{BCE} \cdot \overline{BDE} \cdot \overline{CDE})} + START$$

$$= ((A+B+C) \cdot (A+B+D) \cdot (A+B+E) \cdot (A+C+D) \cdot (A+C+E) \cdot (A+D+E) \cdot$$

$$(B+C+D) \cdot (B+C+E) \cdot (B+D+E) \cdot (C+D+E)) + START$$

依照下面步骤进行设计：

（1）建立项目 Vote. qpf；

（2）新建原理图文件 Vote. bdf，按照图 2-46 输入电路并保存；

（3）编译电路；

（4）功能仿真；

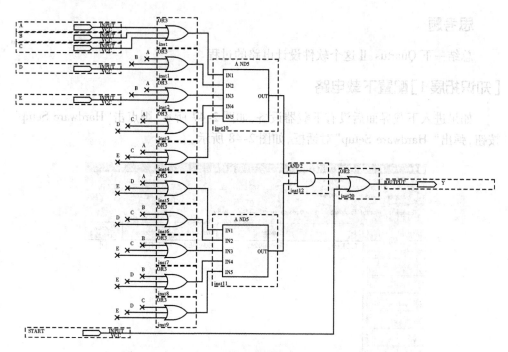

图 2-46　5 人表决电路原理图（Vote. bdf 仅供参考）

（5）分配管脚（依照表 2-8）并下载到芯片中。

表 2-8　5 人表决器管脚分配表

序号	实验箱上标号	管脚	程序中标签	备　　注

表 2-8(续)

序号	实验箱上标号	管脚	程序中标签	备 注
1	KEY[1]	121	A	
3	KEY[2]	122	B	
4	KEY[3]	123	C	
5	KEY[4]	124	D	
6	KEY[5]	143	E	
7	KEY[6]	141	START	
8	LED[1]	50	Y	

思考题

总结一下 Quartus Ⅱ 这个软件设计电路的过程。

[知识拓展1]配置下载电路

如果进入下载界面后没有下载器设备,如图 2-47 所示,则点击"Hardware Setup"按钮,弹出" Hardware Setup"对话框,如图 2-48 所示。

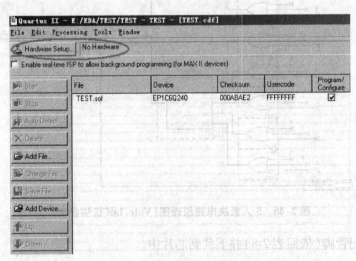

图 2-47　下载界面中提示无下载硬件

在图 2-48 中,选中 Available hardware items 下面所列出的下载方式选项,单击

"Add Hardware"按钮设置下载设备,弹出如图 2-49 或图 2-50 所示的对话框。然后选择合适的硬件连接方式,最后点击"Close"。

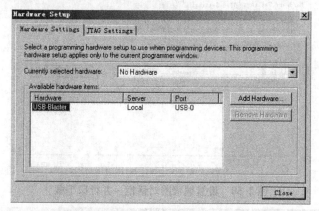

图 2-48　"Hardware Setup"对话框

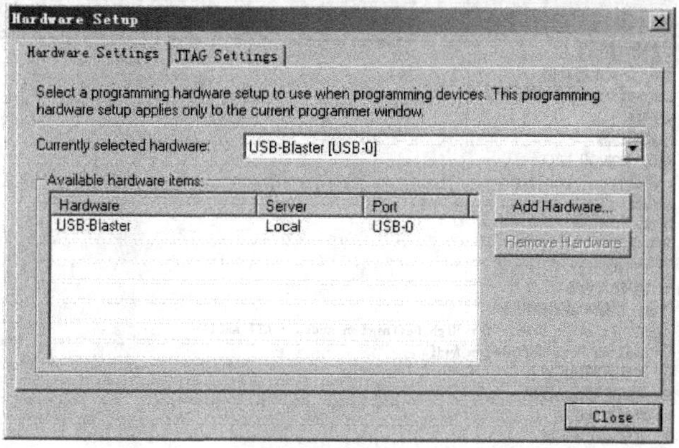

图 2-49　设置编程器对话框 – USB 下载

[知识拓展 2]下载模式及下载器的安装

JTAG 模式是软件的默认下载模式,相应的下载文件为". sof"格式。在"Mode"一栏中还可以选择其他的下载模式,如 Passive Serial,Active Serial Programming 和 In-Socket Programming。勾选图 2-42 中下载文件"f _ adder. sof"右侧的第一个小方框 program/configure,也可以根据需要勾选其他的小方框。将下载电缆连接好后,单击"Start"按钮,计算机就开始下载编程文件,这样就可以在实验箱上验证设计结果了。

如果第一次使用软件,则要单独安装下载器软件。方法如下:找到"我的电脑",右键→属性→设备管理器→找到 USB Device→右键(图 2-51)→扫描设备→在 Quartus Ⅱ 的安装文件夹中找到安装驱动程序进行安装,如图 2-52 至图 2-54 所示。

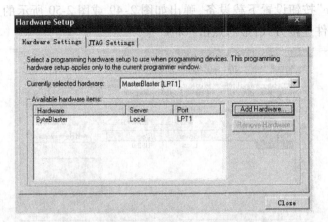

图 2-50　设置编程器对话框 – 并行口下载

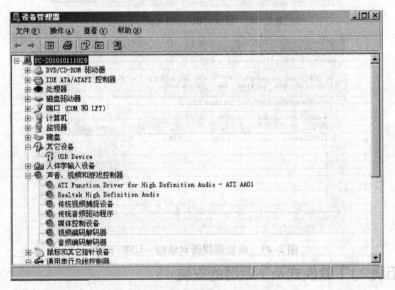

图 2-51　设备管理器中找新硬件 USB Device

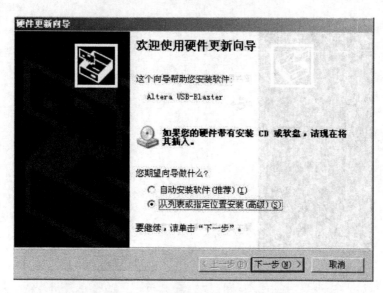

图 2-52　选择"从列表或指定位置安装（高级）（S）"

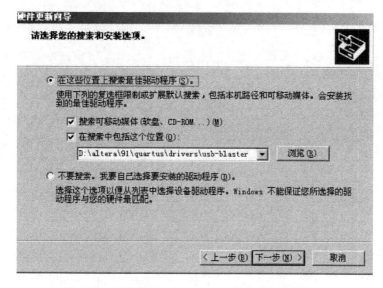

图 2-53　安装软件在 Quartus Ⅱ 所在文件夹中找到

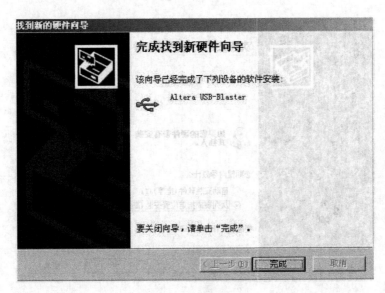

图2-54 完成驱动软件

实验二 数据选择器和译码器模块的功能测试

　　数据选择器和译码器的是典型的组合电路的应用,它们内部包含了多个逻辑门。Quartus Ⅱ软件中除了包含传统意义上的模块(例如 74138 和 74153 等)电路外,还包括了参数化的译码器(LPM＿DECODE)和数据选择器(LPM＿MUX)可供设计者设置调用。

一、实验目的

　　1.进一步学习 Quartus Ⅱ原理图设计电路的方法。

　　2.掌握数据选择器和译码器模块的功能。

　　3.掌握用数据选择器和译码器模块实现组合逻辑函数的方法。

二、预习要求

　　1.复习用 Quartus Ⅱ设计数字电路系统的方法。

　　2.复习译码器和数据选择器的逻辑功能。

三、模块介绍

　　74138 和 74153 模块的逻辑符号如图 2-55 和图 2-56 所示。

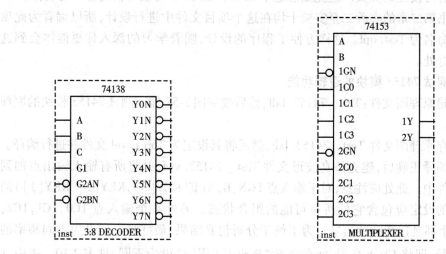

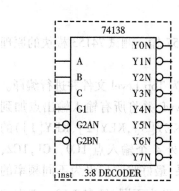

图 2-55　74138 逻辑符号　　　　　　图 2-56　74153 逻辑符号

74138 的真值表请参考第一章的"实验三　译码器及应用"。

74153 的真值表见表 2-9。

表 2-9　74153 的真值表

使能端	选择端		输出端	使能端	选择端		输出端
1GN	B	A	1Y	2GN	B	A	2Y
1	X	X	0	1	X	X	0
0	0	0	1C0	0	0	0	2C0
0	0	1	1C1	0	0	1	2C1
0	1	0	1C2	0	1	0	2C2
0	1	1	1C3	0	1	1	2C3

双击 74138 模块或者 74153 模块,就可以得到其内部逻辑电路图,请你仔细研究一下。

四、实验内容

首先建立项目文件 Test. qpf 并保存。

此处再次强调,要为这个项目建一个文件夹,且这个文件夹的名字和项目名称要用比较有可读性的英文。避免随意起个 AAA,BBB,123 等没有任何意义的名称。

本书第二章的实验二至实验十均在这个项目文件中进行设计,所以编者为此项目文件命名为 Test. qpf。这样方便了程序的设计,随着学习的深入你更能体会到这样做的好处。

1. 测试 74153 模块的逻辑功能

新建原理图文件:Test _ 74153. bdf,然后按照图 2-57 输入测试 74153 模块的原理图文件。

保存原理图文件 Test _ 74153. bdf,然后将其设定为 Top Level 文件并进行编译。

当编译正确后,建立仿真波形文件 Test _ 74153. vwf,并将所有输入输出点加到仿真文件中。此处应注意,对于输入点 1GN,B,A(即 KEY[3],KEY[2],KEY[1])的仿真值的设定应包含它们所有可能的组合状态。另外 4 个输入点 1C0,1C1,1C2,1C3 每个都是连续脉冲信号。为了便于分析仿真结果,最好将它们设为不同频率的脉冲信号,即将 Clock 信号 的参数"Period"(周期)设为不同,见表 2-10。表中这四个输入信号的周期分别设为 30 μs,60 μs,120 μs,240 μs,所有输入设置完成的状

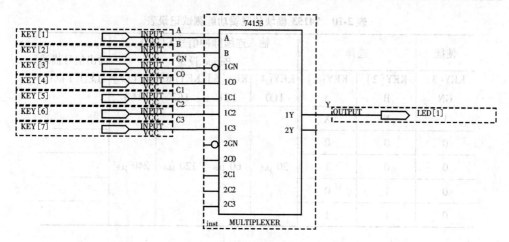

图 2-57　74153 模块的逻辑功能测试电路(Test＿74153. bdf)

态,如图 2-58 所示。

接下来就是执行仿真文件,观察仿真输出结果,见图 2-59。为了观察设计结果是否完全正确,应根据电路仿真的一个完整周期修改仿真执行时间,即仿真执行时长"End time",方法见图 2-60。对于上面 4 种输入,要观察到每种可能的输出要显示 3 个周期的话,至少要 3 × (30 + 60 + 120 + 240) μs = 1 350 μs,同时还要考虑到 1GN 可以有"1"和"0"两种可能性,因此将仿真时间修正为 3 ms。

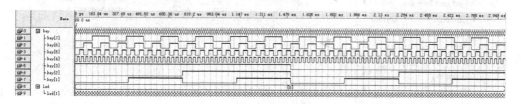

图 2-58　74153 模块仿真设定

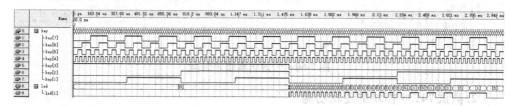

图 2-59　74153 模块仿真结果

表 2-10 74153 模块的逻辑功能测试记录表

使能	选择		输入连续脉冲信号 CLOCK Period 设定				输出信号描述
KEY[3] GN	KEY[2] B	KEY[1] A	KEY[4] 1C0	KEY[5] 1C1	KEY[6] 1C2	KEY[7] 1C3	LED[1]/Y
1	X	X					
0	0	0					
0	0	1	30 μs	60 μs	120 μs	240 μs	
0	1	0					
0	1	1					

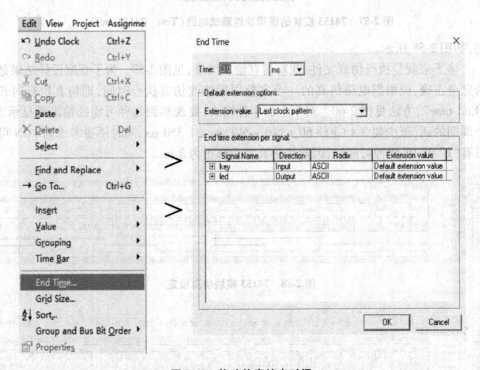

图 2-60 修改仿真结束时间

2. 测试 74138 模块的逻辑功能

新建原理图文件:Test _ 74138. bdf,然后按照图 2-61 输入测试模块 74138 的原理图文件。保存这个原理图文件,将其设定为 Top-level 文件并进行编译。

另建波形仿真文件,并保存文件名为 Test _ 74138. vwf,将图 2-61 中的各个输入输出点加到仿真文件中。对输入点 G1,C,B,A 的设定应包含所有可能的组合,表

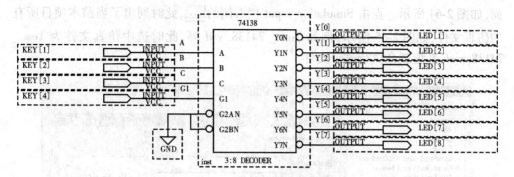

图2-61　74138模块的逻辑功能测试电路(Test_74138. bdf)

2-11为测试结果记录表。

　　注:Quartus Ⅱ中允许一个项目建立一个或多个仿真文件。如果系统包括多个仿真文件则要确定当前要执行哪个仿真文件。由于Test_74138. vwf是项目Test建立以来的第二个仿真文件,因此要进行仿真文件选择的设定(以后实验中对这个问题不再重复说明,请加以注意)。

　　设定的过程是这样的:

　　在菜单栏点击【Assignment】(图2-62),选择【Setting】进入设定界面,或者将鼠标放在Project Navigator窗口单击右键进入设定界面(图2-63)。设定界面中包括了系统的所有信息。

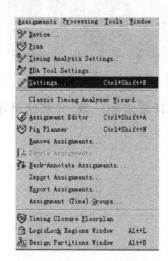

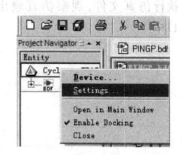

图2-62　从菜单进入系统设定界面　　**图2-63　从浏览窗口进入系统设定界面**

　　在设定界面左侧Cateory栏中点击【Simulator】,右侧会出现Simulator settings界

面,如图 2-64 所示。点击 Simulation input 栏右侧的 ⌷⌷⌷ ,此时列出了当前本项目所有的仿真文件,如图 2-65 所示,例如 Test _ 74138. vwf 等,此时选中仿真文件为 Test _ 74138. vwf,系统就会执行这个文件。

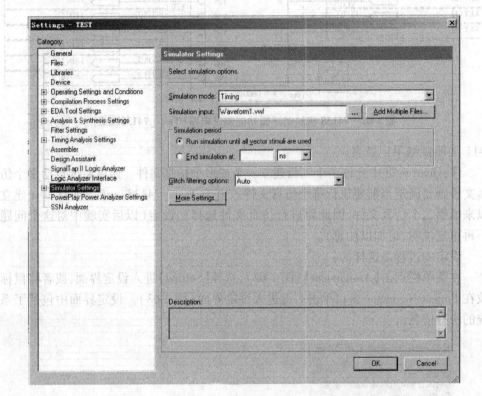

图 2-64　仿真设置界面

　　执行仿真文件,观察仿真输出结果是否与设计要求相一致,并将结果填到表 2-11 中。

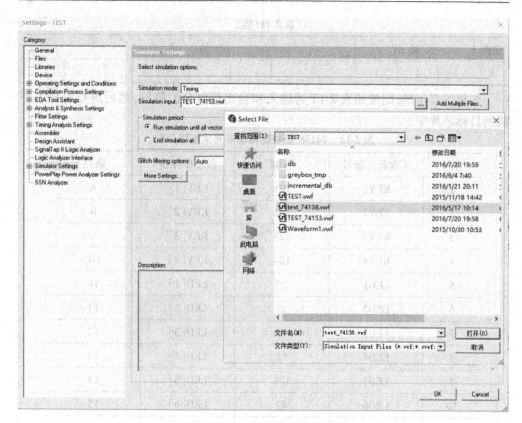

图 2-65　选择要执行的仿真文件

表 2-11　74138 的逻辑功能仿真测试记录表

使能	选 择 端			输　　　出							
KEY[4]	KEY[3]	KEY[2]	KEY[1]	LED[1]	LED[2]	LED[3]	LED[4]	LED[5]	LED[6]	LED[7]	LED[8]
G1	C	B	A	Y0	Y1	Y2	Y3	Y4	Y5	Y6	Y7
0	X	X	X								
1	0	0	0								
1	0	0	1								
1	0	1	0								
1	0	1	1								
1	1	0	0								
1	1	0	1								
1	1	1	0								

表 2-11（续）

使能	选 择 端			输　　出							
1	1	1	1								

如果仿真正确,则按照表 2-12 为输入和输出信号分配管脚,然后进行编译并下载到目标芯片中。

表 2-12　74138 模块逻辑功能测试管脚分配

序号	实验箱上标号	管脚	程序中标签	备注
1	KEY1	121	KEY[1]	A
2	KEY2	122	KEY[2]	B
3	KEY3	123	KEY[3]	C
4	KEY4	124	KEY[4]	G1
5	LED1	50	LED[1]	Y0
6	LED2	53	LED[2]	Y1
7	LED3	54	LED[3]	Y2
8	LED4	55	LED[4]	Y3
9	LED5	176	LED[5]	Y4
10	LED6	47	LED[6]	Y5
11	LED7	48	LED[7]	Y6
12	LED8	49	LED[8]	Y7

下载成功后,按照表 2-11 分别设定 KEY[4],KEY[1],KEY[2],KEY[3]的状态,记录测试的数据,观察输出指示灯是否与设计要求一致或者与上面仿真结果一致。

注:对于实验箱 SmartEDA,按下键输入为低电平,不按输入为高电平;因为指示灯为共阳极连接方式,因此给指示灯高电平指示灯灭,低电平才能使指示灯亮。

思考题

1. 利用数据选择器 74153 和其他必要的模块实现全加器电路的原理图文件,然后进行仿真测试。

2. 利用译码器 74138 和其他必要的模块实现全加器电路的原理图文件,然后进行仿真测试。

实验三　D触发器与移位寄存器模块的功能测试

寄存器是一种时序逻辑电路,它用于存储一组二进制数。触发器是构成时序电路的基本单元,也就是说寄存器是由若干个触发器和门电路组成的。一个触发器可以存储一位二进制数,N个触发器组成的寄存器可以存储N位二进制数。移位寄存器除了具有寄存器的功能外,还有移位功能,即所存储的代码在时钟信号的作用下可以实现左移或者右移操作。移位寄存器主要用于数据的串并行转换、数据运算等。

一、实验目的

1. 熟悉D触发器模块的逻辑功能和测试方法。
2. 掌握移位寄存器模块在数字电路设计中的应用。
3. 掌握专用模块生成方法。

二、模块介绍

D触发器逻辑符号和四位双向通用移位寄存器分别如图2-66和图2-67所示。D触发器模块功能表和74194移位寄存器功能表分别见表2-13和表2-14所示。

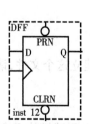

图2-66　D触发器逻辑符号

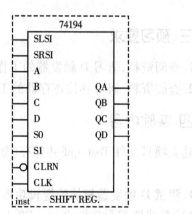

图2-67　四位双向通用移位寄存器74194逻辑符号

表 2-13　D 触发器模块功能表

PRN	CLRN	CLK	D	Q^{n+1}	备　注
0	1	X	X	1	置1
1	0	X	X	0	置0
0	0	X	X	1	置0
1	1	↑	1	1	$Q^{n+1} = D(CLK\uparrow)$
1	1	↑	0	0	$Q^{n+1} = D(CLK\uparrow)$

表 2-14　74194 移位寄存器功能表

输　　入					输　　出	功能
$\overline{CLR}$	S1/S0	SL/SR	ABCD	CLK	$Q_A\ Q_B\ Q_C\ Q_D$	
0	X　X	XX	XXXX	X	0　0　0　0	复位
1	1　1	XX	ABCD	↑	A　B　C　D	置数
1	1　0	D_1X	XXXX	↑	$Q_B\ Q_C\ Q_D\ D_1$	左移
1	0　1	XD_2	XXXX	↑	$D_2\ Q_A\ Q_B\ Q_C$	右移
1	0　0	XX	XXXX	↑	$Q_A\ Q_B\ Q_C\ Q_D$	保持

三、预习要求

1. 查阅资料,研习 D 触发器的工作原理。

2. 查阅资料,研习移位寄存器的工作原理。

四、实验内容

建立项目文件 Test. qpf 并保存(如果在前面程序中已经建立这个文件,请忽略此项)。

1. 测试 D 触发器模块的逻辑功能

(1)新建原理图文件:Test _ Dff. bdf,然后按照图 2-68 输入测试模块 D 触发器模块的原理图文件。

保存原理图文件 Test _ Dff. bdf,并将其设定为 Top-level 文件,然后进行编译。

注:在 Quartus Ⅱ 中,通常模块符号的标签末尾带有"N"标志的表示低电平有效。此处 PRN 代表$\overline{PR}$,CLRN 代表$\overline{CLR}$。

（2）当编译正确后，建立波形仿真文件 Test _ Dff. vwf，将所有输入输出点加到仿真文件中，且 PRN，CLRN，CLK，D 的设定值应包括所有可能的组合状态，参照表 2-15设置仿真数值（图 2-69），然后执行仿真文件，观察仿真输出结果（图 2-70）。其中CLK 为连续脉冲信号。

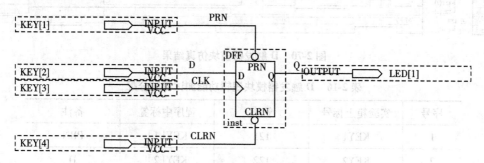

图 2-68 D 触发器测试原理图（Test _ Dff. bdf）

表 2-15 D 触发器功能仿真数据记录表

操作	PRN KEY[1]	CLRN KEY[4]	CLK KEY[3]	D KEY[2]	Q LED[1]	备注
1	0	1	X	X		
2	1	0	X	X		
3	1	1	↑	1		
4	1	1	↑	1		
5	1	1	↑	0		
6	1	1	↑	0		

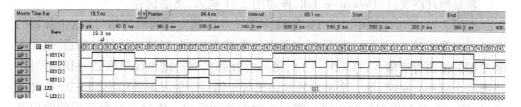

图 2-69 D 触发器模块仿真数据设定

（3）如果仿真正确，则按照表 2-16 为输入和输出信号分配管脚，然后进行编译。

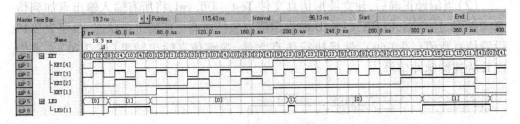

图 2-70　D 触发器模块仿真结果

表 2-16　D 触发器模块逻辑功能测试管脚分配

序号	实验箱上标号	管脚	程序中标签	备注
1	KEY1	121	KEY[1]	PRN
2	KEY2	122	KEY[2]	D
3	KEY3	123	KEY[3]	CLK
4	KEY4	124	KEY[4]	CLRN
5	LED1	50	LED[1]	Q

2. 按键除颤电路

作为机械开关的键盘,在按键操作时,由于机械触点的弹性及电压跳动等原因,在触点闭合或开启的瞬间会出现电压的抖动,如果不进行处理就会造成误操作。按键去抖动的关键在于提取稳定的电平状态(SmartEDA 实验箱按下键为低电平),同时滤除前沿和后沿抖动产生的毛刺。对于一个按键信号,可以用一个脉冲对它进行采样。如果连续几次为低电平,可以认为信号已经处于稳定状态,这时可以将这个信号送到目标芯片。至于连续的时间间隔由键盘的机械特性等因素决定。

新建原理图文件:Debounce. bdf,按照图 2-71 输入,然后保存。

在图 2-71 所示电路中,100 Hz 的脉冲信号为 D 触发器的时钟信号(这个脉冲的获得见本章实验五)。键入信号接到了第一个 D 触发器,当脉冲信号到来后,这个 D 触发器的输出等于输入(Q = D(↑));第一个 D 触发器的输出接到第二个 D 触发器,当第二个脉冲到来时,第二个触发器的输出等于第一个触发器的输出;第三个脉冲到来时,第三个 D 触发器的输出等于第二个触发器的输出。将这三个触发器的输出并接于三输入或门。如果这三个触发器的输出端都为低电平时或门的输出为低电平,说明在 3 个脉冲时间内键入信号始终保持为低电平,也就是有效键入信号。

由于键盘输入电路是每个系统最为常用的电路,因此可以将它们设计为可以调用的模块。模块的生成方法如下。

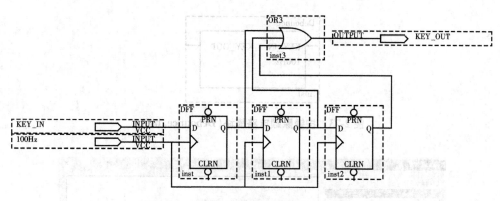

图 2-71　按键除颤电路图（Debounce. bdf）

【File】→Create∠Update→Create Symbol Files for Current File 将当前文件建立为图形符号文件，如图 2-72 所示，生成的符号文件的扩展名为. bsf。此处键入的文件名定义为 Debounce. bsf，如图 2-73 所示。调用这个模块的方法与调用其他系统原有模块相同，只是这个模块只属于当前的项目！如图 2-74 和图 2-75 所示。

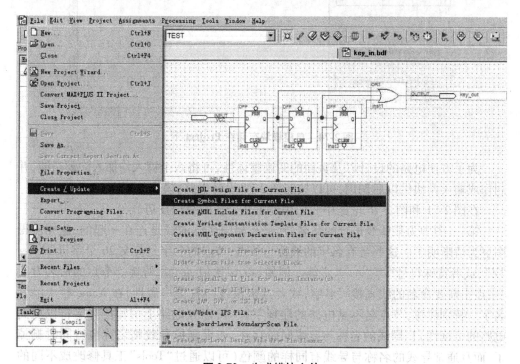

图 2-72　生成模块文件

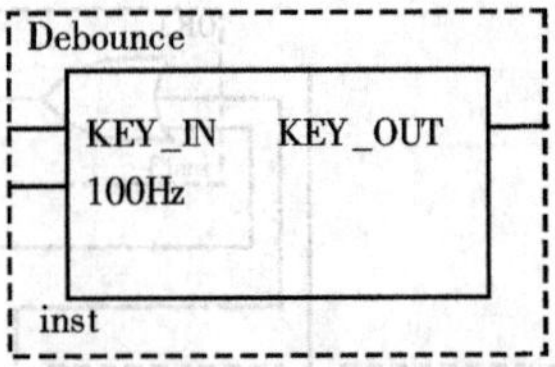

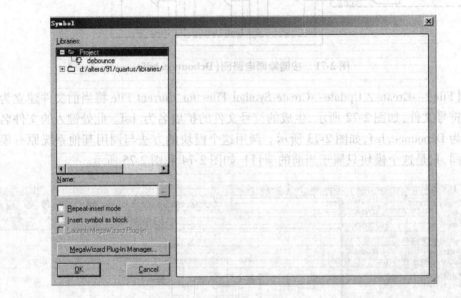

图 2-73　按键除颤电路模块(Debounce. bsf)

图 2-74　自建模块存储在 Project 下

　　为了方便电路的设计以及页面的阅读整体性,可将八个键入均加入除颤功能,并制作成输入模块供以后调用,可以按照图 2-76 设计电路,模块如图 2-77 所示。

　　在图 2-71 和图 2-76 电路中我们用到了几个新的编程技巧。

　　第一,图中为某些线进行的命名,凡是有相同名称的线是连在一起的,这样使得图更为清晰明了。这些带有名字的线称为节点,节点的名字是英文 26 个字母“A” ~ “Z”,或者特殊符号“/”“ – ”“ _ ”等。例如,ab,a/b,a1,a _ 1,等等。节点的命名方法是:点击需要命名的线直接写名字,或者点击该线→右键→属性,在 Name 栏中输入名字。特别注意,节点名不是电路的注释字符(可以在电路上书写注释字符以提高电路的可读性)! 导线的名称与导线同时存在,如果删掉导线则名称也就同时删掉了,而且通常导线的名称与导线有同样的颜色(可以通过“Tools”工具修改成不同的颜色)。

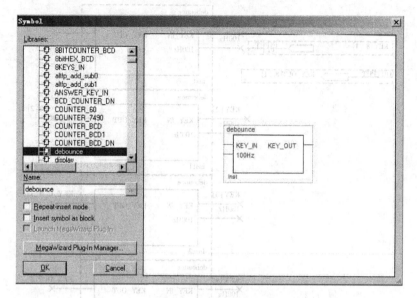

图 2-75　自建模块的调用

第二是总线方式：总线(Bus)在图形编辑窗口中是一条粗线 ，一条总线代表很多节点的综合，也可以同时传递多个信号，最少代表 2 个节点，最多代表 256 个节点。如图中输入端用一个总线 KEY[8…1]代表 KEY[8]，KEY[7]，…，KEY[1]；KEY_OUT[8…1]代表 KEY_OUT[8]，KEY_OUT[7]，…，KEY_OUT[1]。

总线的命名方法与节点相同，但是总线的名称的命名与节点名称有一定差别。总线必须在名称的后面加上[a…b]，表示一条总线内含有的节点编号，其中 a 和 b 必须是整数，但谁大谁小没有规定。

当添加了输入(input)/输出(output)后，如果将它们的名字写成总线格式，这个输入/输出就具有总线的特性了。

3. 测试模块 74194 模块的逻辑功能

新建原理图文件：Test_74194.bdf，按照图 2-78 所示输入原理图文件，测试移位寄存器 74194 模块的功能。

保存原理图文件 Test_74194.bdf，并将其设定为 Top-level 文件，进行编译。按照表 2-17 分配管脚，下载并测试结果，将数据记录在表 2-18 中。

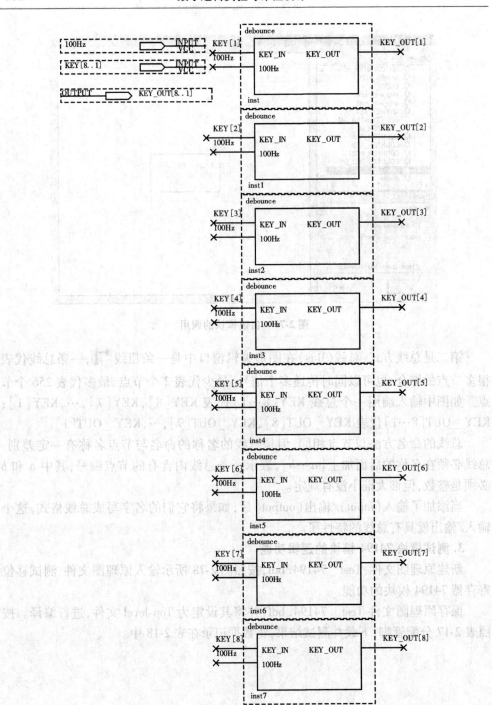

图 2-76　8 个键入均加入除颤功能的电路(8KEYS _ IN. bdf)

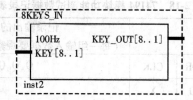

图 2-77 8 个键入均加入除颤功能生成的模块(8KEYS _ IN. bsf)

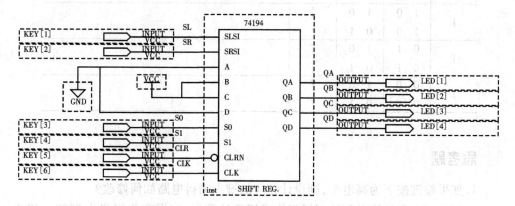

图 2-78 移位寄存器 74194 模块测试原理图(Test-74194. bdf)

表 2-17 74194 模块逻辑功能测试管脚分配

序号	实验箱上标号	管脚	程序中标签	备注
1	KEY1	121	KEY[1]	SL
2	KEY2	122	KEY[2]	SR
3	KEY3	123	KEY[3]	S0
4	KEY4	124	KEY[4]	S1
5	KEY5	143	KEY[5]	CLR
6	KEY6	141	KEY[6]	CLK
7	LED1	50	LED[1]	Q_A
8	LED2	53	LED[2]	Q_B
9	LED3	54	LED[3]	Q_C
10	LED4	55	LED[4]	Q_D

表 2-18　74194 模块功能测试数据记录表

数据设定				记录输出的变化规律（每一组输入数据要观察 5 个以上脉冲输入）
CLR	S1S0	SL/SR	CLK	$Q_AQ_BQ_CQ_D$
0	X　X	1　0	X	
1	1　1	1　0	↑	
	1　1	0　1	↑	
1	1　0	1　0	↑	
	1　0	0　1	↑	
1	0　1	1　0	↑	
	0　1	0　1	↑	
1	0　0	1　0	↑	
	0　0	0　1	↑	

思考题

1. 如果按键按下为高电平,则设计相应的键入消抖电路如何修改?

2. 用 74194 及其他必要的逻辑门构成扭环计数器,数据变化规律为 0000→1000→1100→1110→1111→0111→0011→0001→0000→1000…

实验四　简单时序电路设计

一、实验目的

掌握时序逻辑电路的设计方法。

二、模块介绍

RS 触发器及 JK 触发器的逻辑符号如图 2-79 和图 2-80 所示。

图 2-79　RS 触发器　　　　图 2-80　JK 触发器

三、预习要求

1. 复习 RS,D,JK 触发器的工作原理及使用方法。

2. 复习同步(Synchronous)时序电路和异步(Asynchronous)时序电路的设计方法。

四、实验内容

建立项目文件 Test. qpf 并保存(如果在前面程序中已经建立这个文件,请忽略此项)。

1. 用 D 触发器构成二进制加计数器(异步)

表 2-19 列出了四位二进制计数器的状态表。根据这个状态表和 D 触发器的特征方程可以设计出同步或异步二进制计数器。

表 2-19 二进制加计数器状态表

计数脉冲顺序	$Q_3^n Q_2^n Q_1^n Q_0^n$	$Q_3^{n+1} Q_2^{n+1} Q_1^{n+1} Q_0^{n+1}$	备 注
0	0000	0001	
1	0001	0010	
2	0010	0011	
3	0011	0100	
4	0100	0101	
5	0101	0110	
6	0110	0111	
7	0111	1000	
8	1000	1001	
9	1001	1010	
10	1010	1011	
11	1011	1100	
12	1100	1101	
13	1101	1110	
14	1110	1111	
15	1111	0000	

D 触发器的特征方程为: $Q^{n+1} = D (CLK \uparrow 或 \downarrow)$;根据表 2-19 所列的计数器状态表设计异步计数器会得出:

$$D_0 = \overline{Q_0^n};$$

$$D_1 = \overline{Q_1^n}, \quad CLK_1 = \overline{Q_0};$$

$$D_2 = \overline{Q_2^n}, \quad CLK_2 = \overline{Q_1};$$

$$D_3 = \overline{Q_3^n}, \quad CLK_3 = \overline{Q_2}。$$

按照图 2-81 输入原理图,保存为 Test _ D _ Binary _ A. bdf,并将其设为 Top-level 文件。

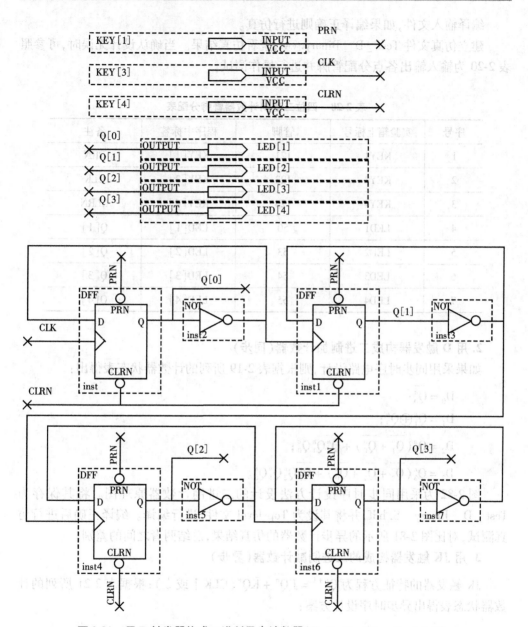

图 2-81 用 D 触发器构成二进制异步计数器(Test _ D _ Binary _ A. bdf)

编译输入文件,如果编译正确则进行仿真。

建立仿真文件 Test _ D _ Binary. vwf,查看仿真结果。当确认设计无误时,可参照表 2-20 为输入输出各点分配管脚并进行操作测试。

表 2-20　四位二进制计数器管脚分配表

序号	实验箱上标号	管脚	程序中标签	备注
1	KEY1	121	KEY[1]	PRN
2	KEY3	123	KEY[3]	CLK
3	KEY4	124	KEY[4]	CLRN
4	LED1	50	LED[1]	Q[1]
5	LED2	53	LED[2]	Q[2]
6	LED3	54	LED[3]	Q[3]
7	LED4	55	LED[4]	Q[4]

2. 用 D 触发器构成二进制加计数器(同步)

如果采用同步时序电路设计,则根据表 2-19 所列的计数器状态表得出:

$$D_0 = \overline{Q_0^n};$$
$$D_1 = Q_1^n \oplus Q_0^n;$$
$$D_2 = Q_2^n(\overline{Q_1^n} + \overline{Q_0^n}) + \overline{Q_2^n}Q_1^nQ_0^n;$$
$$D_3 = Q_3^n(\overline{Q_2^n} + \overline{Q_1^n} + \overline{Q_0^n}) + \overline{Q_3^n}Q_2^nQ_1^nQ_0^n。$$

图 2-82 为采用同步时序设计方法设计的二进制计数器原理图。将其保存为 Test _ D _ Binary _ S. bdf,并将其设为 Top level 文件,进行编译。编译正确后进行仿真测试,对比图 2-81 所示的异步计数器的仿真结果,总结两者之间的差别。

3. 用 JK 触发器构成的二进制减计数器(异步)

JK 触发器的特征方程为 $Q^{n+1} = J\overline{Q^n} + \overline{K}Q^n$(CLK↑或↓);根据表 2-21 所列的计数器状态表得出异步时序设计方案:

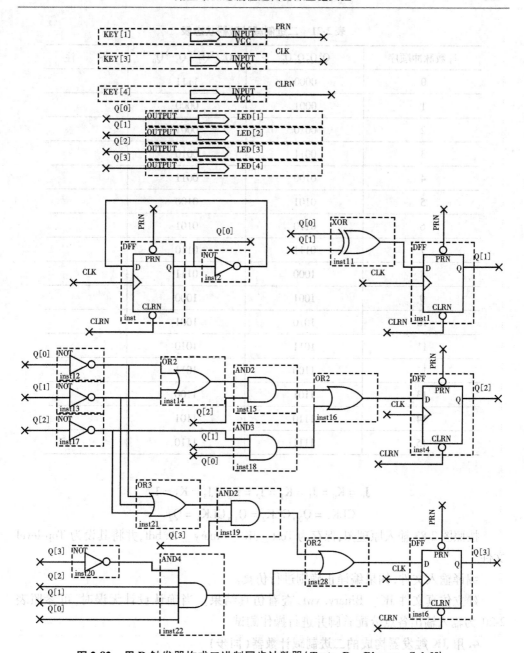

图 2-82　用 D 触发器构成二进制同步计数器（Test ＿ D ＿ Binary ＿ S. bdf）

表 2-21　二进制减计数器状态表

计数脉冲顺序	$Q_3^n Q_2^n Q_1^n Q_0^n$	$Q_3^{n+1} Q_2^{n+1} Q_1^{n+1} Q_0^{n+1}$	备　　注
0	0000	1111	
1	0001	0000	
2	0010	0001	
3	0011	0010	
4	0100	0011	
5	0101	0100	
6	0110	0101	
7	0111	0110	
8	1000	0111	
9	1001	1000	
10	1010	1001	
11	1011	1010	
12	1100	1011	
13	1101	1100	
14	1110	1101	
15	1111	1110	

$$J_0 = K_0 = J_1 = K_1 = J_2 = K_2 = J_3 = K_3 = 1$$

$$CLK_1 = Q_0, CLK_2 = Q_1, CLK_3 = Q_2$$

按照图 2-83 输入原理图,保存为 Test_JK_Binary_A.bdf,并将其设为 Top-level 文件。

编译输入文件,如果编译正确则进行仿真。

建立仿真文件 JK_Binary.vwf,查看仿真结果。当确认设计无误时,可参照表 2-20 为输入输出各点分配管脚并进行操作测试。

4. 用 JK 触发器构成的二进制减计数器(同步)

JK 触发器的特征方程为 $Q^{n+1} = J\,\overline{Q}^n + \overline{K}Q^n$(CLK↑或↓);根据表 2-21 所列的计数器状态表得出同步时序设计方案,即

$$Q_0^{n+1} = \overline{Q_0^n}, \quad \text{所以 } J_0 = K_0 = 1$$

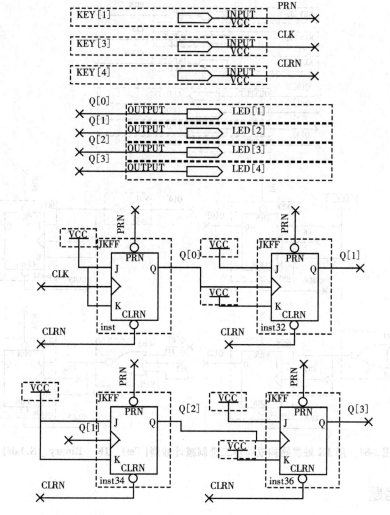

图 2-83　用 JK 触发器构成异步二进制减计数器(Test ＿ JK ＿ Binary ＿ A. bdf)

$$Q_1^{n+1} = \overline{Q_0^n Q_1^n} + Q_0^n Q_1^n, \quad 所以 J_1 = \overline{Q_0}, \quad K_1 = Q_0$$

$$Q_2^{n+1} = (Q_0^n + Q_1^n) Q_2^n + \overline{(Q_0^n + Q_1^n) Q_2^n}, \quad 所以 J_2 = \overline{Q_0^n + Q_1^n}, \quad K_2 = \overline{Q_0^n + Q_1^n}$$

$$Q_3^{n+1} = (Q_0^n + Q_1^n + Q_2^n) Q_3^n + \overline{Q_0^n Q_1^n Q_2^n Q_3^n}, \quad 所以 J_3 = K_3 = \overline{Q_0^n + Q_1^n + Q_2^n}$$

因此设计出图 2-84 所示电路。按照图 2-84 输入原理图,保存为 Test ＿ JK ＿ Binary ＿
S. bdf,将其设为 Top-level 文件,当确认设计无误时,可参照表 2-20 为各个输入输出
端口分配管脚,并进行编译、下载等测试。

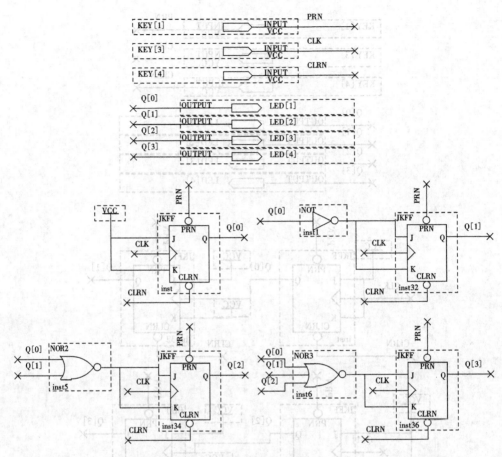

图 2-84　用 JK 触发器构成同步二进制减计数器(Test＿JK＿Binary＿S. bdf)

思考题

通过仿真结果仔细分析所用到的 JK,D 触发器是上升沿触发还是下降沿触发。如果所用触发沿相反的话,所设计的电路应该如何改变?

实验五 计数器模块的应用

一、实验目的

1. 掌握计数器电路的设计方法。
2. 学会使用同步和异步集成计数器设计电路。

二、模块介绍

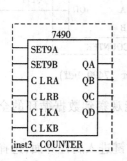

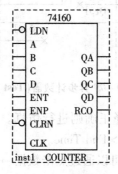

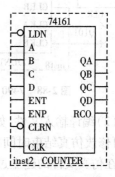

图 2-85 2-5-10 计数器　　　图 2-86　十进制计数器　　图 2-87　可预置数二进制计数器

7490 模块和 74160 模块的真值表参见第一章"实验七　集成计数器的应用"中 74LS90 和 74LS160 的功能介绍。

74LS161 的使用与 74LS160 类似。

三、预习要求

1. 复习计数器的工作原理。
2. 复习各种进制计数器的转换。
3. 复习同步计数和异步计数的概念。

四、实验内容

建立项目文件 Test. qpf 并保存(如果在前面程序中已经建立这个文件,请忽略此项)。

1. 用 7490 模块设计 0 ~ 79 计数器(异步)

(1)按照图 2-88 输入原理图,保存为 Test _ Counter _ 7490. bdf,并将其设为 Top-level 文件。

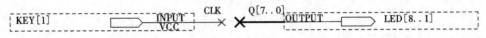

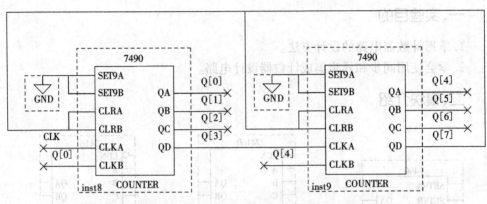

图 2-88 7490 构成的 0 ~ 79 异步计数器(Test _ counter _ 7490. bdf)

(2)编译输入文件,如果编译正确则进行仿真。为了能观察到数据循环的全过程,可修改仿真结束时间:Edit > > End Time。

在仿真文件的建立过程中,可以通过点击数据→鼠标右键进入属性界面,选择该数组以哪种数据格式显示,包括二进制(Binary)、十六进制(Hexadecimal)、八进制(Octal)、带符号十进制(Signed Decimal)、无符号十进制(Unsigned Decimal)等,如图 2-89 所示。

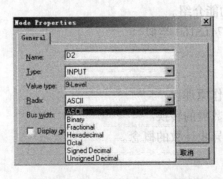

图 2-89 选择仿真数据显示格式

保存仿真文件为 Test _ counter _ 90. vwf,执行仿真操作。查看仿真结果是否与设计初衷相吻合。

（3）当确认设计无误时,可参照表 2-22 为输入输出各点分配管脚并最终下载到芯片。

表 2-22　实验五所用管脚分配表

序号	实验箱上标号	管脚	程序中标签	备　注
1	SYS _ CLOCK	28	SYS _ CLOCK	CLK
2	KEY1	121	KEY[1]	
3	LED1	50	LED[1]	Q[0]
4	LED2	53	LED[2]	Q[1]
5	LED3	54	LED[3]	Q[2]
6	LED4	55	LED[4]	Q[3]
7	LED5	176	LED[5]	Q[4]
8	LED6	47	LED[6]	Q[5]
9	LED7	48	LED[7]	Q[6]
10	LED8	49	LED[8]	Q[7]

观察 LED 的变化,它们的输出是否在 0 ~ 79（BCD 码）之间? 如果要改为 0 ~ 89（BCD 码）之间,电路应如何修改?

2. 用 74160 模块设计 21 ~ 80 计数器

（1）按照图 2-90 输入原理图,保存为 Test _ Counter _ 74160. bdf,并将其设为 Top-level 文件。

（2）编译输入文件,如果编译正确则建立仿真文件 Test _ Counter _ 74160. vwf。执行仿真操作,查看仿真结果（图 2-91）,当确认设计无误,可参照表 2-22 为输入输出各点分配管脚。如果发现数据变化有跳跃现象,则在输入端 CLK 加上除颤电路（见本章实验三）。

3. 由 48 MHz 信号分频得到不同的频率

由于 SmartEDA 实验箱仅提供一个 48 MHz 的标准频率（Pin:28）,所以电路中用到的任何频率信号都只能通过对这个信号分频得到。图 2-92 所示电路为从 48 MHz 得到 750 kHz,1 kHz,100 Hz,10 Hz,8 Hz,4 Hz,2 Hz,1 Hz 和 0.5 Hz 频率的方法。它们分别按照下面公式得到,之所以将 16 分频、8 分频或 4 分频放在最后,是因为这样可以得到占空比为 50% 的方波信号。

750 kHz = 48 000 000 ÷ 64

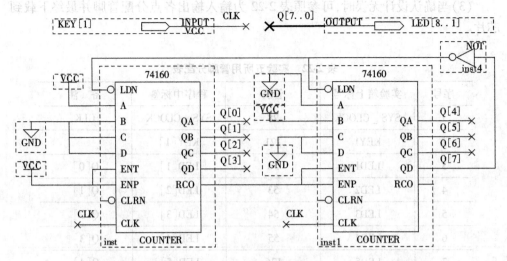

图 2-90　74160 构成的 21～80 同步计数器(Test _ counter _ 74160. bdf)

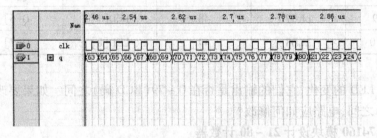

图 2-91　21～80 循环计数器仿真结果

$$1 \text{ kHz} = 48\,000\,000 \div 3 \div 1\,000 \div 16$$

$$100 \text{ Hz} = 48\,000\,000 \div 3 \div 1\,000 \div 10 \div 16$$

$$10 \text{ Hz} = 48\,000\,000 \div 3 \div 1\,000 \div 100 \div 16$$

$$4 \text{ Hz} = 48\,000\,000 \div 3 \div 1\,000 \div 4$$

$$2 \text{ Hz} = 48\,000\,000 \div 3 \div 1\,000\,000 \div 8$$

$$1 \text{ Hz} = 48\,000\,000 \div 3 \div 1\,000\,000 \div 16$$

$$\text{One \_ Half Hz}(0.5 \text{ Hz}) = 48\,000\,000 \div 3 \div 1\,000\,000 \div 16 \div 2$$

图 2-92 所示电路是一个同步计数器(分频)电路。图中模块 inst 为 74161 模块,四位二进制计数器。它采用置数法实现三进制计数(输出依次为 0000,0001,0010,0000,0001…),完成 3 分频,那么从这个模块 QB 管脚输出信号的频率是输入频率的 $\frac{1}{3}$。在这部分电路中 QB 端信号取反送入模块的置数端,当 QB 为"1"时,置数端为

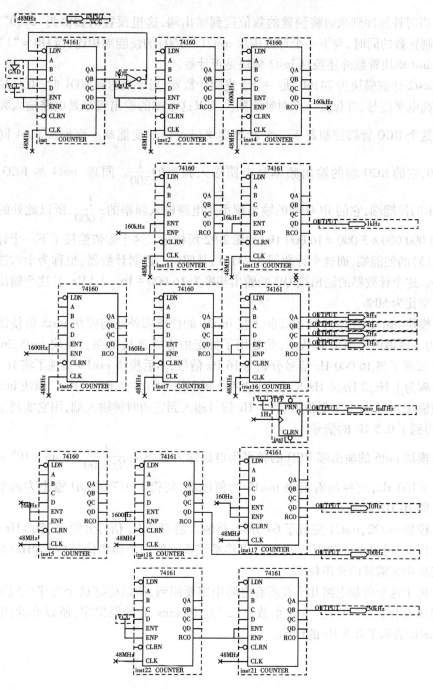

图 2-92　分频电路(Frequency. bdf)

"0";当时钟脉冲到来时将预置的数值送到输出端,这里预置的数值为"0000"。QB
在控制置数的同时,与下一个计数模块 inst2(74160)的使能端相连,当 QB = "1"除了
控制 inst 模块置数外还控制 inst2 模块是否计数。

inst2 计数模块为 74160,是一个十进制计数器,当计数达到 1001 时,RCO 端输出
一个高电平信号,并保持一个时钟周期。所以这个端的输出频率是电路输入频率的
$\frac{1}{30}$。这个 RCO 管脚控制着下一个计数模块(inst4)的使能端。而模块 inst4 同样为
74160,它的 RCO 端的输出频率是电路输入频率的 $\frac{1}{300}$。同理,inst4 的 RCO 端接
inst11 的使能端,它的 RCO 端的输出频率是电路输入频率的 $\frac{1}{3\,000}$,所以此处的频率
为 48 000 000 ÷ 3 000 = 16 000 Hz,如图 2-92 所标记。这个端依然接了下一个计数器
(inst15)的使能端,而这个计数器为 74161,是四位二进制计数器,也称为十六进制计
数器。这个计数器的输出端 QD 的输出频率为 16 000 ÷ 16 = 1 kHz,且这个输出信号
的占空比为 50% 。

模块 inst11 的 RCO 输出端除了接 inst21 的使能端外还与模块 inst5 的使能端相
连,为了使得电路图清晰易读,此处用了标记的方式连接电路。模块 inst5,inst6 和
inst7 实现了将 16 000 Hz 信号分频为 16 Hz 信号,然后模块 inst16 实现了将 16 Hz 信
号分频为 1 Hz,2 Hz,4 Hz,8 Hz,且这四个频率信号的占空比为 50% 。模块 inst16 下
方的模块 inst1 是个 T 触发器,将 1 Hz 信号输入到它的时钟输入端,用它实现了二分
频,得到了 0.5 Hz 的信号。

模块 inst6 的输出端 RCO 的频率为电路输入频率的 $\frac{1}{300\,000}$,即 $48 \times 10^6 \div (3 \times 10^5) = 160$ Hz;它控制着模块 inst17 的使能端,使得 inst17 的 QD 输出为占空比为
50% 的 10 Hz 方波。

模块 inst22,inst21 完成了 64 分频,将输入的 48 MHz 信号分频为 750 kHz 信号。

因此,通过图 2-92 所示电路可以将系统提供的一个频率信号(48 MHz)分频得
到实验中所需要的常用频率。

由于这个分频电路几乎在所有电路中都要用到,所以应把这个程序生成可调用
的模块文件(图 2-93)。由于小数点"."是 Quartus Ⅱ 的保留字,所以在此用 one _
halfhzHz 表示了 0.5 Hz 的频率。

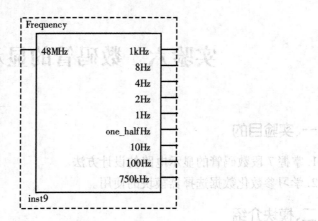

图 2-93 分频模块(Frequency. bsf)

思考题

1. 认真分析计数器模块的使用方法。
2. 如何用 74161 模块设计 100 进制 BCD 计数器？设计并验证。

实验六 数码管的显示

一、实验目的

1. 掌握 7 段数码管的显示电路的设计方法。
2. 学习参数化数据选择器模块的使用。

二、模块介绍

各模块如图 2-94 至图 2-96 所示。

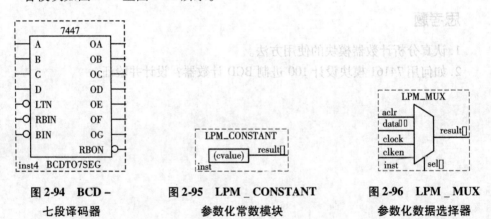

图 2-94 BCD – 七段译码器　　图 2-95 LPM_CONSTANT 参数化常数模块　　图 2-96 LPM_MUX 参数化数据选择器

双击 7447 可以看到它的内部电路图,同时研究一下 7448 模块,分析一下它们的区别。

LPM_CONSTANT 为参数化常数设置模块。

LPM_MUX 是参数化数据选择器,其中 sel[ ] 为选择端,data[ ] 为数据输入端,clock 为时钟输入端,clken 为时钟使能端,aclr 为异步清零端,其真值表见表 2-23。

表 2-23　LPM_MUX 模块真值表

Inputs	Output
sel[LPM_WIDTHS – 1..0]	result[LPM_WIDTH – 1]
0	data[0][LPM_WIDTH – 1..0]

表 2-23（续）

Inputs	Output
1	$data[1][LPM\_WIDTH-1..0]$
2	$data[2][LPM\_WIDTH-1..0]$
...	...
LPM_SIZE-2	$data[LPM\_SIZE-2][LPM\_WIDTH-1..0]$
LPM_SIZE-1	$data[LPM\_SIZE-1][LPM\_WIDTH-1..0]$

三、预习要求

1. 复习译码器、数据选择器、数码管的工作原理及使用方法。
2. 复习 BCD 码的基本概念。

四、实验内容

8 段 LED 数码管是工程项目中常常使用的显示器件。常见的数码管有共阳极和共阴极两种方式。共阳极就是将 8 个发光二极管的阳极连接在一起作为公共端，而共阴极就是将 8 个发光二极管的阴极连接在一起作为公共端。图 2-97 为 8 段数码管各个段的命名方式。

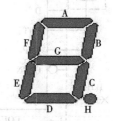

图 2-97　8 段数码管
各段命名

数码扫描显示是数字系统设计中较常用的电路。其中每个数码管的 8 个段 a,b,c,d,e,f,g,h 都分别连在一起，每个数码管都有一个选通信号端。被选通的数码管显示数据，其他的数码管关闭。

SmartEDA 实验箱的"8 段数码管"显示驱动电路就是这种扫描显示方式，见附录 B。由图 B3 可以看出它们所有的"段码"共用管脚 SEG7，SEG6，SEG5，SEG4，SEG3，SEG2，SEG1，SEG0，对应数码管的 H，G，F，E，D，C，B，A 各个段，而"位码"DIG7，DIG6，DIG5，DIG4，DIG3，DIG2，DIG1，DIG0 控制着 8 个数码管的显示与否。也就是说当"位码"驱动信号为低电平时，对应的数码管才能接收各个段数的数据；由于实验箱中的数码管采用的是共阳极驱动电路，因此当输入到段码的信号为低电平时对应的段亮。如果让 8 个数码管的"位码"以足够快的速度循环"使能"，就能达到 8 个数码管显示不同的数值的目的。经过测试每个数码管"使能"1 ms 就能使 8 个数码管正常发光。

"段码"SEG7，SEG6，SEG5，SEG4，SEG3，SEG2，SEG1，SEG0，对应于芯片的 164，163，166，165，168，167，170，169 管脚。

"位码" DIG7, DIG6, DIG5, DIG4, DIG3, DIG2, DIG1, DIG0, 对应于芯片的 214,
213, 216, 215, 161, 162, 159, 160 管脚。

建立项目文件 Test. qpf 并保存(如果在前面程序中已经建立这个文件,请忽略此项)。

1. 数码管的显示模块

(1) 显示电路

按照图 2-98 输入原理图,保存为 display. bdf。

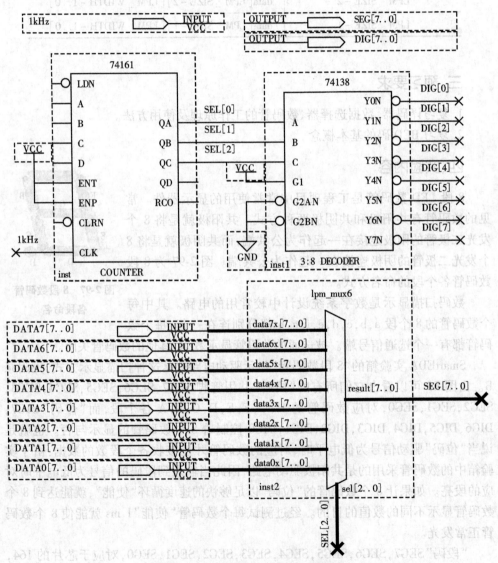

图 2-98　8 个数码管显示电路(Display. bdf)

图 2-98 所示电路中 74161 是十六进制计数器,它的低 3 位接到 3－8 译码器模块 74138 的地址输入端,这样可以实现 74138 的 8 个输出端轮流输出低电平,恰好用来控制"位码"DIG0～DIG7。

LPM＿MUX 是 Quartus Ⅱ 中的参数化数据选择器模块,用来实现多位的"多选一"。在第一章的实验四中所使用的 74LS151 是"1 位"的"8 选 1"数据选择器模块。而此处 LPM＿MUX 可以实现 8 位数据的"8 选 1",它的数据位数以及数据的数量可以任意设定。模块参数设置方法见图 2-99 至图 2-101。

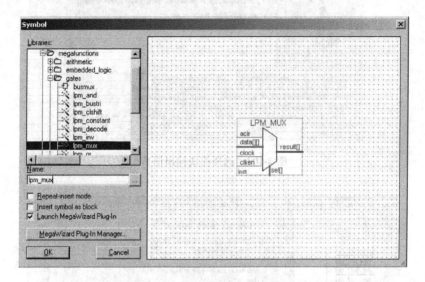

图 2-99　选择 LPM＿MUX 模块

在输入模块界面的 Name 框内输入 LPM＿MUX,点击"OK"键。

选择一种硬件描述语言的输出文件格式,例如 AHDL,VHDL,Verilog HDL 等。

在 How many "data" inputs do you want? 栏中输入 8 表示有 8 个输入数据。

在 How wide should the "data" input and the "result" output buses be? 栏中输入 8 表示每个数据有 8 位,然后点击 Finish 键。

由图 2-102 可以看到引用一个宏模块可以形成多达 5 个文件。此处之所以为 LPM＿MUX6 而不是 LPM＿MUX5,表示前面已经添加过 5 个宏模块 LPM＿MUX 了。

注:这样的参数化模块不得复制,只能添加!

将数码管显示电路(图 2-98)生成一个图形模块文件 display. bsf(图 2-103),以备调用:File→Create/Update→Create Symbol Files For Current File。生成了显示模块后,以后可以随时调用,哪位数码管需要显示数据就向哪位输入数据。不用的可以空着,程序运行后不用的数码管会处于"灭"状态。

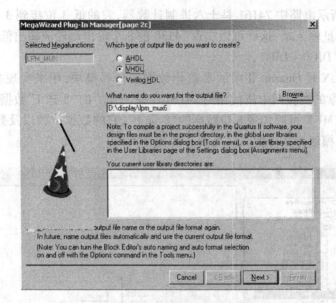

图 2-100　选择模块输出语言

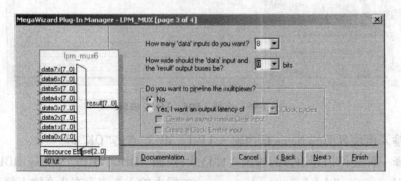

图 2-101　输入数据的个数与数据位数

如果要显示特定的字符,可以通过给 DATA0[7‥0]～DATA7[7‥0]不同的数值得到。例如,要显示 HPFL1234 八个字符,则应该向 8 个输入端输入 8 个已经译码的数据。

(2)静态显示电路

按照图 2-104 输入原理图,保存为 Test_static_display.bdf,并将其设为 Top-level 文件。

图中 8 个数据通过参数化常数模块(LPM_CONSTANT)输入,显示静态字符 H,P,F,L,1,2,3 和 4,数码管各个引脚的逻辑数值参照表 2-24 进行设定。

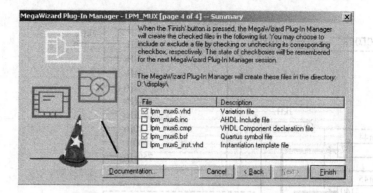

图 2-102 LPM 模块信息窗口

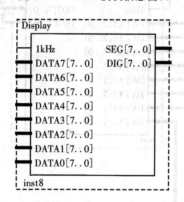

图 2-103 数码管显示模块(Display.bsf)

表 2-24 数码管静态字符显示管脚设定参照表

显示	SEG[7‥0]或 HGFEDCBA	显示	SEG[7‥0]或 HGFEDCBA	显示	SEG[7‥0]或 HGFEDCBA	显示	SEG[7‥0]或 HGFEDCBA
H	$1000,1001_2$ 或 89_{16}	F	$1000,1110_2$ 或 $8E_{16}$	1	$1111,1001_2$ 或 $F9_{16}$	3	$1011,0000_2$ 或 $B0_{16}$
P	$1000,1100_2$ 或 $8C_{16}$	L	$1100,0111_2$ 或 $C7_{16}$	2	$1010,0100_2$ 或 $A4_{16}$	4	$1001,1001_2$ 或 99_{16}

以 H 为例,对应的 H = 1(小数点段灭);G = "0"(亮);F = "0"(亮);E = "0"(亮);D = "1"(灭);C = "0"(亮);B = "0"(亮);A = "1"(灭)。

再例如,显示 1,则对应的 H = "1"(小数点段灭);G = "1"(灭);F = "1"(灭);E = "1"(灭);D = "1"(灭);C = "0"(亮);B = "0"(亮);A = "1"(灭)。

参数化常数模块 LPM_CONSTANT 的输入方法如下。

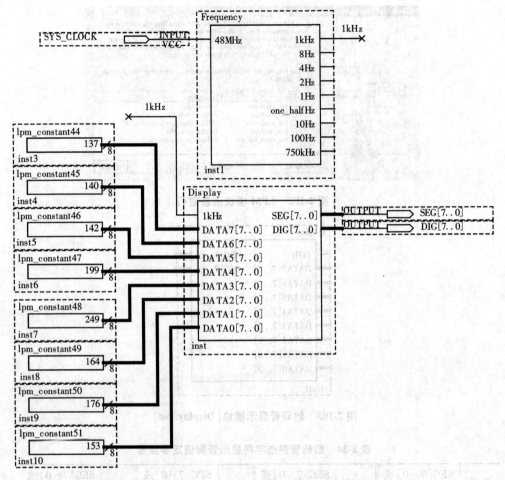

图 2-104　静态字符显示(Test _ Static _ Display. bdf)

先在器件库中找到 LPM _ CONSTANT,见图 2-105。

输入 H 对应的显示译码结果十六进制数 89 或者二进制数 10001001,如图 2-106 所示。

图 2-107 为设置完成的模块,该模块显示的数是对应的十进制数 137!静态字符显示如图 2-104 所示。

注:这个常数模块对于这个项目唯一,所以不得拷贝!每个常数单独输入!

2. BCD 数的显示

如果需要显示的数据是 BCD 码,那么显示电路可以将图 2-98 所示电路进行改进,如图 2-108 所示。与图 2-98 相比增加了一个 7447 模块,它是用来实现 BCD 到数码管的译码功能。当然选择 7447 译码模块是因为数码管采用共阳极方式接线的。

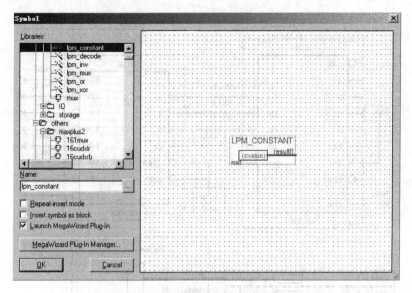

图 2-105　选择参数化常数模块

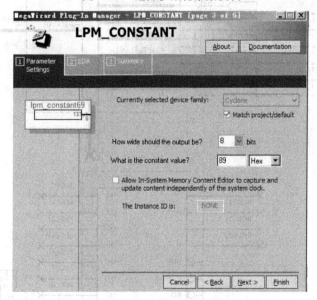

图 2-106　常数的位宽及数值的设定

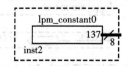

图 2-107　参数化常数模块(3)

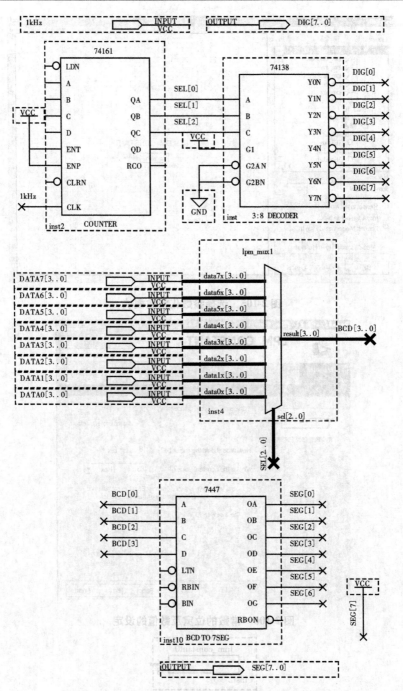

图 2-108　BCD 码的显示电路(Display _ BCD. bdf)

将图 2-108 电路图生成一个模块文件,如图 2-109 所示。

图 2-110 所示电路显示了 BCD 数据 1,2,3,4,5,6,7。第八个输入端 DATA0 空置,因此数码管处于"灭"状态。

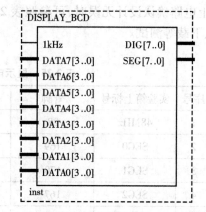

图 2-109　BCD 码的显示模块(Display _ BCD. bsf)

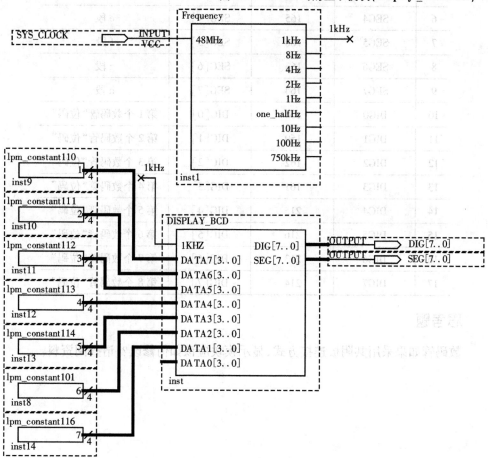

图 2-110　静态显示 BCD 数(Test _ display _ BCD. bdf)

　　以上电路确认设计无误时，可参照表 2-25 为各个输入输出端口分配管脚，并进行编译、下载等测试。

表 2-25　显示电路管脚分配

序号	实验箱上标号	管脚	程序中标签	备注
1	48MHz	28	SYS_CLK	系统时钟
2	SEG0	169	SEG[0]	a 段
3	SEG1	170	SEG[1]	b 段
4	SEG2	167	SEG[2]	c 段
5	SEG3	168	SEG[3]	d 段
6	SEG4	165	SEG[4]	e 段
7	SEG5	166	SEG[5]	f 段
8	SEG6	163	SEG[6]	g 段
9	SEG7	164	SEG[7]	h 段
10	DIG0	160	DIG[0]	第 1 个数码管"位码"
11	DIG1	159	DIG[1]	第 2 个数码管"位码"
12	DIG2	162	DIG[2]	第 3 个数码管"位码"
13	DIG3	161	DIG[3]	第 4 个数码管"位码"
14	DIG4	215	DIG[4]	第 5 个数码管"位码"
15	DIG5	216	DIG[5]	第 6 个数码管"位码"
16	DIG6	213	DIG[6]	第 7 个数码管"位码"
17	DIG7	214	DIG[7]	第 8 个数码管"位码"

思考题

数码管如果采用共阴极连接方式，显示模块应该如何修改？请查阅资料。

实验七　多位加法器及显示

一、实验目的

1. 复习不同进制数字的转换。
2. 复习数码管驱动电路。

二、模块介绍

参数化加减模块如图 2-111 所示。

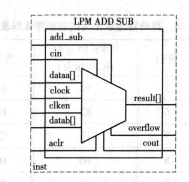

图 2-111　参数化加减模块 LPM _ ADD _ SUB

三、预习要求

1. 复习加法器的设计原理。
2. 查阅资料,研究参数化模块的使用方法。

四、实验内容

本章的开始介绍 Quartus Ⅱ 9.0 软件的使用是以 1 位全加器为例讲解的。而数字信号处理的运算电路中常用到多位数字量的加法运算,为满足系统对运算速度的要求,通常会用并行加法器来实现。计算用十六进制数表示的结果仍然可以用数码管显示,如图 2-112 所示。

建立项目文件 Test. qpf 并保存(如果在前面程序中已经建立这个文件,请忽略此项)。

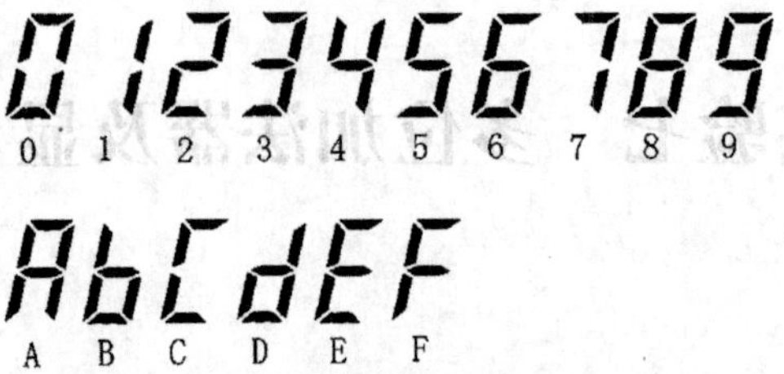

图 2-112　数码管显示十六进制数据

1. 为了用数码管显示十六进制数,首先设计一个译码电路,也就是对数据 0,1,2,3,4,5,6,7,8,9,A,B,C,D,E,F 译码为对应的数码管显示数据。对应于 SmartEDA 实验箱所设计的电路译码结果见表 2-26。译码电路及其模块如图 2-113 和图 2-114 所示。

表 2-26　数码管显示十六进制数据译码表

数据	译码/十六进制 HGFEDCBA	数据	译码/16 进制 HGFEDCBA	数据	译码/十六进制 HGFEDCBA
0	C0	5	92	A	88
1	F9	6	82	B	83
2	A4	7	F8	C	C6
3	B0	8	80	D	A1
4	99	9	90	E	86
				F	8E

2. 按照图 2-115 输入原理图:Test_bin_add_display.bdf 文件,并设为 Top-level 文件。

图 2-115:两个 LPM_CONSTANT 为加数和被加数,各为 7 位十六进制数,通过宏模块 LPM_ADD_SUB 实现十六进制加法计算;输出的结果最大为 8 位十六进制数,然后将这 8 位十六进制数送入十六进制数显式模块 DISPLAY_HEX。十六进制数显式模块电路见图 2-113,与 BCD 显示模块相比,译码由 LPM_MUX25 实现而不是由 7447 完成。

参数化加减模块 LPM_ADD_SUB 的输入方法如图 2-116 至图 2-119 所示。

图 2-115 确认设计无误时,可参照表 2-27 为各个输入输出端口分配管脚,并进行编译、下载等测试。

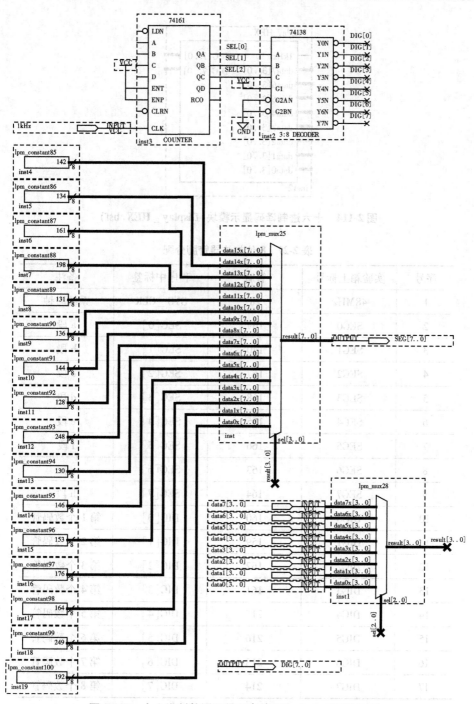

图 2-113 十六进制数译码显示电路(Display _ HEX. bdf)

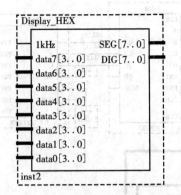

图 2-114 十六进制译码显示模块(Display _ HEX. bsf)

表 2-27 8位加法器管脚分配

序号	实验箱上标号	管脚	程序中标签	备注
1	48MHz	28	SYS _ CLK	系统时钟
2	SEG0	169	SEG[0]	a 段
3	SEG1	170	SEG[1]	b 段
4	SEG2	167	SEG[2]	c 段
5	SEG3	168	SEG[3]	d 段
6	SEG4	165	SEG[4]	e 段
7	SEG5	166	SEG[5]	f 段
8	SEG6	163	SEG[6]	g 段
9	SEG7	164	SEG[7]	h 段
10	DIG0	160	DIG[0]	第1个数码管
11	DIG1	159	DIG[1]	第2个数码管
12	DIG2	162	DIG[2]	第3个数码管
13	DIG3	161	DIG[3]	第4个数码管
14	DIG4	215	DIG[4]	第5个数码管
15	DIG5	216	DIG[5]	第6个数码管
16	DIG6	213	DIG[6]	第7个数码管
17	DIG7	214	DIG[7]	第8个数码管

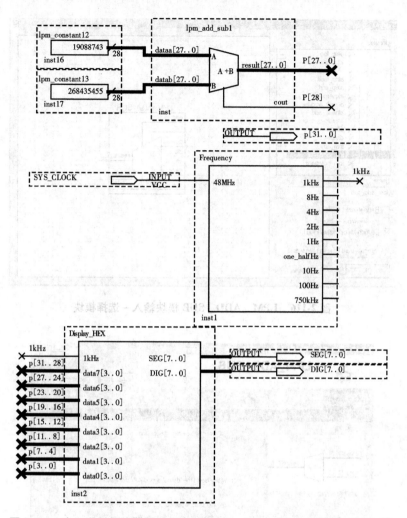

图2-115　十六进制加法器及显示电路(BIN _ ADD _ BCD _ DISPLAY. bdf)

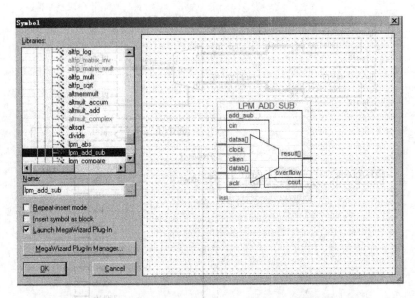

图 2-116 LPM _ ADD _ SUB 模块输入 – 选择模块

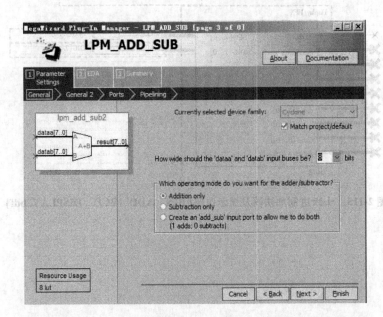

图 2-117 LPM _ ADD _ SUB 模块输入 – 设定加减数据位数及计算模式

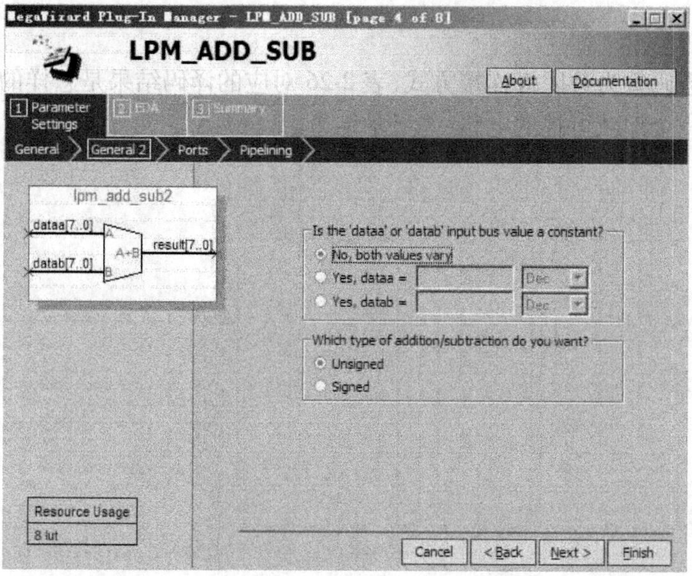

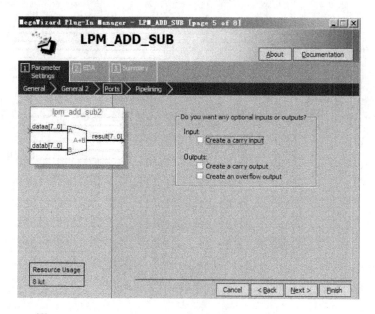

图 2-118　LPM＿ADD＿SUB 模块输入－设定数据类型等参数

图 2-119　LPM＿ADD＿SUB 模块输入－设定进位位等参数

思考题

1. 如果数码管为共阴极连接方式，表 2-26 对应的译码结果是怎样的？

2. 设计一个加减可控的电路，并显示结果。

实验八 声音信号的输出

一、实验目的

1. 掌握扬声器(蜂鸣器)发音原理。
2. 学会发出不同报警声音的电路设计。

二、模块介绍

T 触发器如图 2-120 所示。

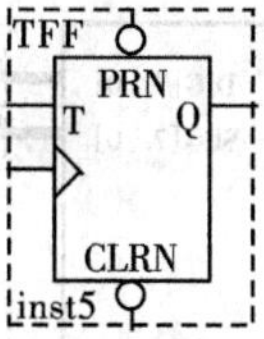

图 2-120　T 触发器

三、预习要求

1. 查阅资料,了解声音信号频率特征。
2. 研究扬声器(蜂鸣器)驱动电路。

四、实验内容

声音是一种波,频率在 20 Hz ~ 5 kHz 范围内的声音才可以被人耳识别或者被人感知。本实验就是向扬声器发送 20 Hz ~ 3 kHz 之间的信号使其发出相应的声音信号。

建立项目文件 Test. qpf 并保存(如果在前面程序中已经建立这个文件,请忽略此项)。

1. 按照图 2-121 输入原理图:Test _ Speaker. bdf 文件,并设为 Top level 文件。六十进制计数模块电路,见图 2-122。

这个程序是一个每隔 10 s 发出一次提示音的电路,提示音的频率为 1 kHz 和 250 Hz 两种,间隔出现。Key[1]键控制计数的复位。

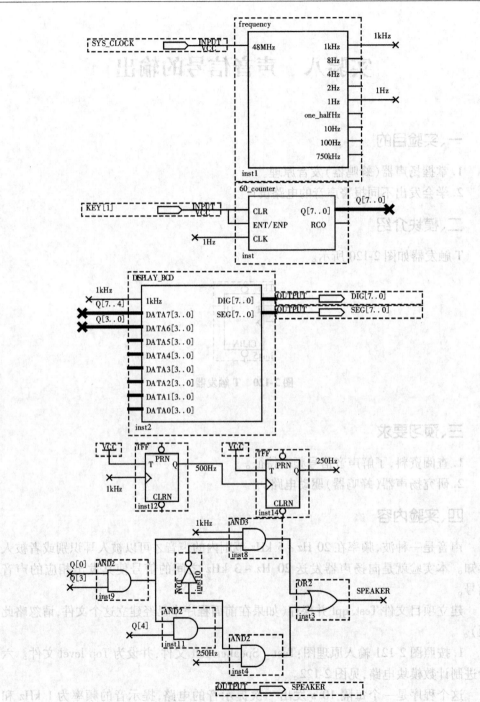

图 2-121 测试声音输出信号模块（Test _ Speaker. bdf）

2. 编译文件,分配管脚。

3. 下载测试,观察计数显示与声音的对应关系。

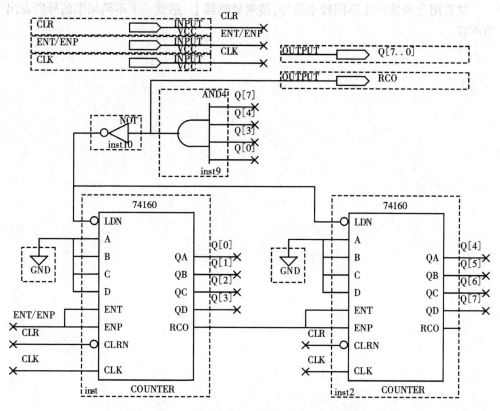

图 2-122　六十进制计数模块(Counter _ 60. bdf)

　　图 2-121 确认设计无误时,可参照表 2-28 为各个输入输出端口分配管脚,并进行编译、下载等测试。

表 2-28　声音信号测试程序管脚分配

序号	实验箱上标号	管脚	程序中标签	备注
1	48MHz	28	SYS _ CLOCK	系统时钟
2	key	121	KEY[1]/start	控制按键
3	Beep	175	SPEAKER	扬声器端

思考题

试着用分频器产生不同频率信号，接到蜂鸣器上，感觉一下不同频率信号所发出的声音。

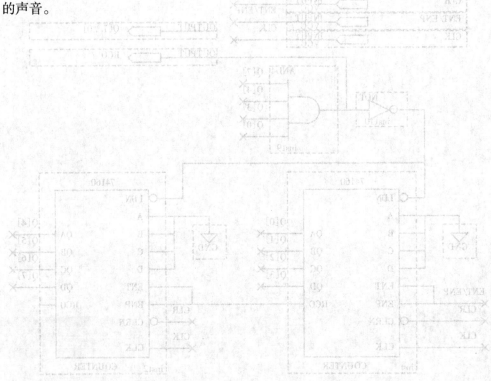

实验九 序列检测器的实现

一、实验目的

掌握利用有限状态机实现一般时序逻辑分析的方法。

二、模块介绍

参数化比较器模块见图 2-123。

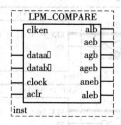

图 2-123 参数化比较器模块(LPM ＿ COMPARE)

三、预习要求

1. 查阅资料,了解状态机、序列检测器的概念。

2. 掌握利用有限状态机实现一般时序逻辑分析的方法,了解一般状态机的设计与应用。

四、实验内容

序列检测器可用于检测由二进制码组成的脉冲序列信号。当序列检测器连续收到一组一串二进制码后,如果这组序列码与检测器中预先设置的序列码相同的话,则输出声音信号。

建立项目文件 Test. qpf 并保存(如果在前面程序中已经建立这个文件,请忽略此项)。

1. 按照图 2-124 输入原理图:Test ＿ Serial. bdf 文件,并设为 Top-level 文件。图 2-125 为模块 KEY ＿ IN ＿ SERIAL 的内部电路,它包括了 9 个 D 触发器,第 1 个触发器接收来自键盘输入信号,包括置"0"和置"1"。后面的 8 个触发器接收着输入,时

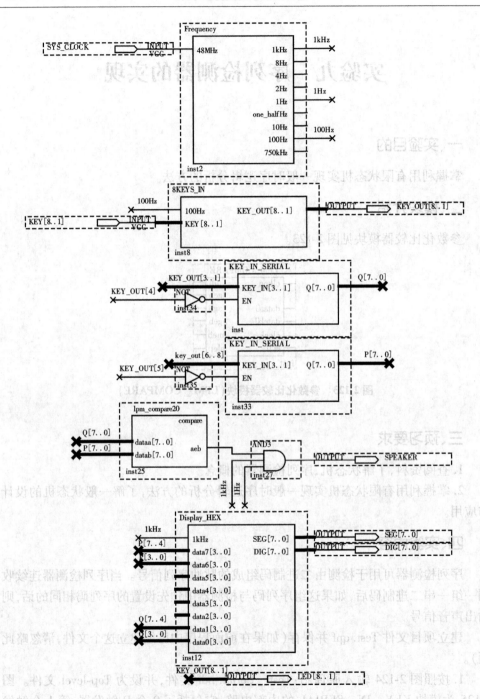

图 2-124　序列码检测器电路（Test _ Serial. bdf）

钟信号包括了置"0"和置"1"以及输入使能键。在这里的操作要求按住使能键的同时输入"0"或者"1"是为了保证输入的准确性。

2. 编译文件、分配管脚。

3. 下载测试。

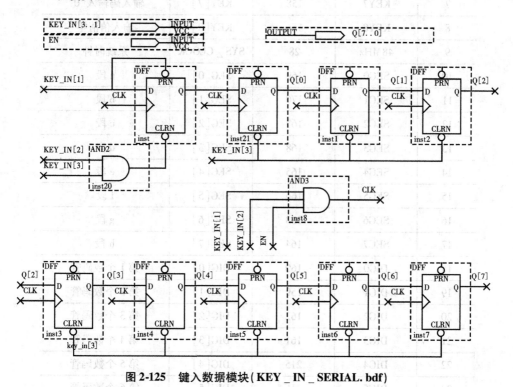

图 2-125 键入数据模块(KEY _ IN _ SERIAL. bdf)

图 2-125 确认设计无误时,可参照表 2-29 为各个输入输出端口分配管脚,并进行编译、下载等测试。

表 2-29 声音信号测试程序管脚分配

序号	实验箱上标号	管脚	程序中标签	备 注
1	KEY1	121	KEY[1]	设置值输入"1"
2	KEY2	122	KEY[2]	设置值输入"0"
3	KEY3	123	KEY[3]	设置值清零
4	KEY4	124	KEY[4]	设置值输入"使能"
5	KEY5	143	KEY[5]	输入使"能端"

表 2-29（续）

序号	实验箱上标号	管脚	程序中标签	备　注
6	KEY6	141	KEY[6]	输入码输入"1"
7	KEY7	158	KEY[7]	输入码输入"0"
8	KEY8	156	KEY[8]	输入值清零
9	48MHz	28	SYS_CLOCK	系统时钟
10	SEG0	169	SEG[0]	a 段
11	SEG1	170	SEG[1]	b 段
12	SEG2	167	SEG[2]	c 段
13	SEG3	168	SEG[3]	d 段
14	SEG4	165	SEG[4]	e 段
15	SEG5	166	SEG[5]	f 段
16	SEG6	163	SEG[6]	g 段
17	SEG7	164	SEG[7]	h 段
18	DIG0	160	DIG[0]	第 1 个数码管
19	DIG1	159	DIG[1]	第 2 个数码管
20	DIG2	162	DIG[2]	第 3 个数码管
21	DIG3	161	DIG[3]	第 4 个数码管
22	DIG4	215	DIG[4]	第 5 个数码管
23	DIG5	216	DIG[5]	第 6 个数码管
24	DIG6	213	DIG[6]	第 7 个数码管
25	DIG7	214	DIG[7]	第 8 个数码管

思考题

试着设计一个 10 位数"1100101101"的检测器。

实验十　波形发生电路(嵌入式逻辑分析仪 SignalTap Ⅱ 的调用)

一、实验目的

1.学习波形发生电路的设计方法。

2.学习 Quartus Ⅱ嵌入式逻辑分析仪 SignalTap Ⅱ的使用。

二、模块介绍

参数化存储器模块如图 2-126 所示。

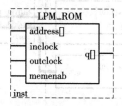

图 2-126　参数化存储器模块 LPM _ ROM

三、预习要求

1.查阅资料,了解 LPM _ ROM 的使用方法。

2.查阅资料,了解嵌入式逻辑分析仪 SignalTap Ⅱ的使用方法。

四、实验内容

建立项目文件 Test. qpf 并保存(如果在前面程序中已经建立这个文件,请忽略此项)。

1.按照图 2-127 输入原理图 Test _ signal. bdf 文件,并设为 Top-level 文件。

图中 key[1]作为输出模式选择键,LPM _ ROM11 和 LPM _ ROM12 中分别存储着锯齿波和正弦波的波形数据,如图 2-128 和图 2-129 所示。由于 SmartEDA 实验箱标准配置不包含 AD _ DA 板,因此信号产生电路不能下载到实验箱测试,这个实验是采用嵌入式逻辑分析仪 SignalTap Ⅱ观察分析结果。

LPM _ ROM 是参数化存储器,其设定和使用方法如图 2-130 至图 2-137 所示。

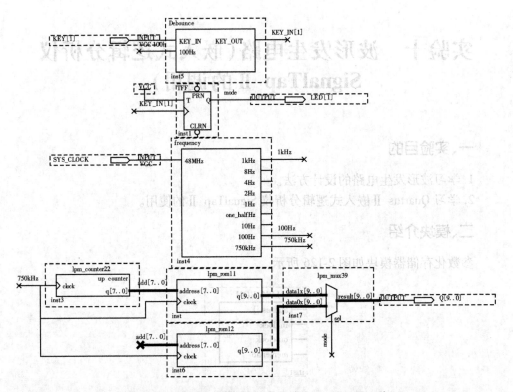

图 2-127　波形产生电路（Test＿signal＿source.bdf）

Addr	+0	+1	+2	+3	+4	+5	+6	+7	+8	+9	+10	+11	+12	+13	+14	+15
0	0	4	8	12	16	20	24	28	32	36	40	44	48	52	56	60
16	64	68	72	76	80	84	88	92	96	100	104	108	112	116	120	124
32	128	132	136	140	144	148	152	156	160	164	168	172	176	180	184	188
48	192	196	200	204	208	212	216	220	224	228	232	236	240	244	248	252
64	256	260	264	268	272	276	280	284	288	292	296	300	304	308	312	316
80	320	324	328	332	336	340	344	348	352	356	360	364	368	372	376	380
96	384	388	392	396	400	404	408	412	416	420	424	428	432	436	440	444
112	448	452	456	460	464	468	472	476	480	484	488	492	496	500	504	508
128	512	516	520	524	528	532	536	540	544	548	552	556	560	564	568	572
144	576	580	584	588	592	596	600	604	608	612	616	620	624	628	632	636
160	640	644	648	652	656	660	664	668	672	676	680	684	688	692	696	700
176	704	708	712	716	720	724	728	732	736	740	744	748	752	756	760	764
192	768	772	776	780	784	788	792	796	800	804	808	812	816	820	824	828
208	832	836	840	844	848	852	856	860	864	868	872	876	880	884	888	892
224	896	900	904	908	912	916	920	924	928	932	936	940	944	948	952	956
240	960	964	968	972	976	980	984	988	992	996	1000	1004	1008	1012	1016	1020

图 2-128　锯齿波形数据（Sawtooth.mif）

　　首先在模块输入界面的 Name 栏输入 LPM＿ROM，出现图 2-130 对话框，此时在
"How wide should the 'q'output bus be?"中输入存储数据的位数，此处选择 10 位数
据；在"How many 10－bit words of memory?"中输入所存数据的个数，由于这个波形

Addr	+0	+1	+2	+3	+4	+5	+6	+7	+8	+9	+10	+11	+12	+13	+14	+15
0	512	525	537	550	562	575	587	600	612	624	636	649	661	673	684	696
16	708	719	731	742	753	764	775	786	796	807	817	827	837	846	856	865
32	874	883	891	900	908	916	923	931	938	945	951	957	964	969	975	980
48	985	990	994	998	1002	1005	1009	1012	1014	1016	1018	1020	1022	1023	1023	1023
64	1023	1023	1023	1023	1022	1020	1018	1016	1014	1012	1009	1005	1002	998	994	990
80	985	980	975	969	964	957	951	945	938	931	923	916	908	900	891	883
96	874	865	856	846	837	827	817	807	796	786	775	764	753	742	731	719
112	708	696	684	673	661	649	636	624	612	600	587	575	562	550	537	525
128	512	499	487	474	462	449	437	424	412	400	388	375	363	351	340	328
144	316	305	293	282	271	260	249	238	228	217	207	197	187	178	168	159
160	150	141	133	124	116	108	101	93	86	79	73	67	60	55	49	44
176	39	34	30	26	22	19	15	12	10	8	6	4	2	1	1	0
192	0	0	1	1	2	4	6	8	10	12	15	19	22	26	30	34
208	39	44	49	55	60	67	73	79	86	93	101	108	116	124	133	141
224	150	159	168	178	187	197	207	217	228	238	249	260	271	282	293	305
240	316	328	340	351	363	375	388	400	412	424	437	449	462	474	487	499

图 2-129　正弦波形数据(Sine. mif)

文件设计的精度为 256 个数据,所以应输入 256。

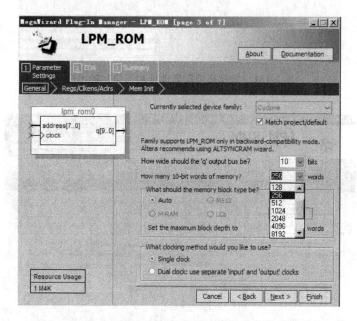

图 2-130　输入 LPM _ ROM 的输出位数和存储数据个数

下一步需要选择是否设计输入、输出端,如图 2-131 所示。

接下来选择数据文件存储位置和数据文件的名称,如图 2-132 所示。然后就要写数据文件了,在菜单 new 选择 Memory Initialization File,如图 2-133 所示。此时跳出设定文件的数据数目和数据的位数窗口,如图 2-134 所示。这两个数据应该与之前的设定值(图 2-130)一致,数据的输入值依照图 2-128 或 2-129 所示。此处注意输

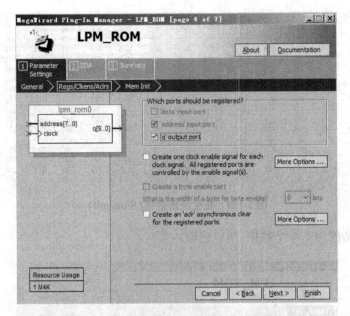

图 2-131　选择是否需要地址输入口和输出口

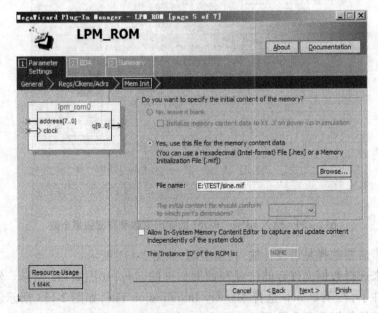

图 2-132　定义存储正弦波数据的文件(sine.mif)

入的值可以为不同的制式,二进制、八进制、十六进制、无符号十进制、有符号十进制。

这个文件的显示格式可以修改,如图 2-135 至图 2-137 所示。

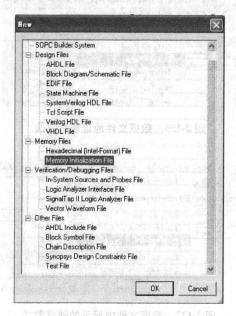

图 2-133　建立数据存储文件,**mif** 格式

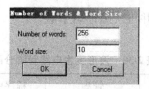

图 2-134　存储数据的文件设置数据数目和数据位数

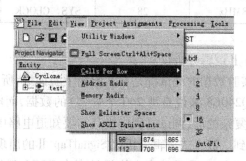

图 2-135　数据文件每行显示的单元数

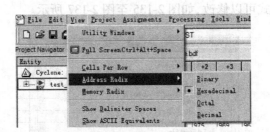

图 2-136　数据文件地址表示方法

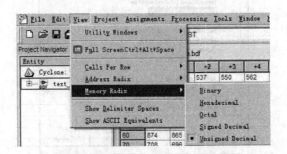

图 2-137　数据文件中显示的数据制式

2. 编译文件。

3. 按照表 2-30 分配管脚并再次编译后下载。

表 2-30　波形发生电路管脚分配

序号	实验箱上标号	管脚	程序中标签	备　注
1	KEY1	121	KEY[1]	波形模式选择
2	48MHz	28	SYS_CLOCK	系统时钟

4. 嵌入 SignalTap Ⅱ逻辑分析仪。

截至目前,所有实验数据的测试都是在实验箱上验证的,所以只能测试到目标芯片端口(对于 EP1C6Q240C8 来说是那 240 个管脚)的数据,而电路内的其他数据就无法得知。如果电路复杂的话,调试过程中极其需要知道电路中间各个点的状态,可是又不能用仪器检测到。嵌入式逻辑分析仪 SignalTap Ⅱ的出现就能满足这个要求。嵌入式逻辑分析仪 SignalTap Ⅱ是一个允许设计者在 FPGA 运行期间同时监视内部在 FPGA 运行期间同时监视内部信号的软件。它通过下载电缆或传统的分析设备将目标芯片连接到用户的计算机,用户通过计算机就可以观察到芯片内部信号的实时状态。使用 SignalTap Ⅱ 就类似于使用示波器的探头测试电路中的某些点电压。

　　SignalTap Ⅱ 可以初始化各种数据、设置触发源、显示条件以及需要观察的信号。用户根据测得的数据来调试、研究电路的运行状态,其使用方法如下。

　　(1)新建 SignalTap Ⅱ 文件　图 2-138、图 2-139 是嵌入式逻辑分析仪 SignalTap Ⅱ 的界面。

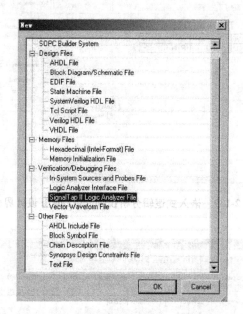

图2-138　新建嵌入式逻辑分析仪文件

　　(2)设置通信数据　点击 JTAG Chain Configuration 窗口内的 Setup 按钮,选择 USB_blaster 或者其他通信方式,见图 2-140;点击 Scan Chain 按钮与目标芯片相连;点击 SOF manager 右侧的浏览按钮,选择下载文件,后缀为.sof,如图 2-141 所示。

　　(3)设置采集数据的时钟　点击 auto_signaltap_0 窗口左下侧的 Setup 按钮,在 Signal Configuration 窗口内的 data 项点击 Clock 的浏览按钮,如图 2-142 所示。在图 2-142 中数据深度项(sample depth)选择 1 K,这个数据不要过大,它是占用芯片资源的! 打开 Node Finder 对话框,在 Node Finde 对话框中的 Filter 列表中选择"SignalTap Ⅱ:pre-synthesis",按"list",选择"1 kHz",这个信号作为采集数据的时钟,如图 2-143 所示。

　　(4)设置逻辑分析仪的触发控制　逻辑分析仪的触发控制包括触发类型和触发级数,如图 2-144 和图 2-145 所示。触发类型包括 Basic 和 Advance 两种。Basic 模式又包括 Don't Care(无关项触发)、Low(低电平触发)、Hight(高电平触发)、Falling

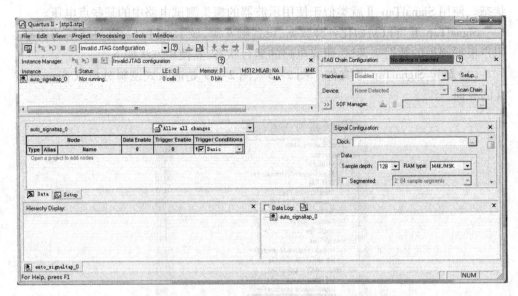

图 2-139　嵌入式逻辑分析仪 SignalTap Ⅱ 设计界面

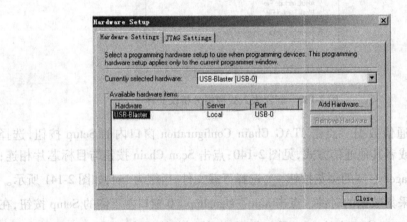

图 2-140　数据通信设置界面

Edge(下降沿触发)、Rising Edge(上升沿触发)、Either Edge(双边沿触发),在这里不需安装任何触发。在 Advance 模式中必须为逻辑分析仪建立触发条件表达式。

(5)触发级数选择　在多级触发中,SignalTap Ⅱ 首先对第一级触发模式进行测试。当第一级触发满足表达式条件时才对第二级触发表达式进行测试。以此类推,直到所有触发级测试完成。本设计只选择 1 级触发。

(6)设置采集的数据　在 auto_signaltap_0 窗口点击空白处,此时跳出 Node Finder 对话框,如图 2-143 所示。通过 Filter 列表的"SignalTap Ⅱ:pre-synthesis"选择

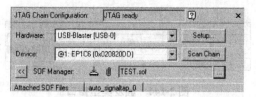

图 2-141　设置计算机与目标芯片的通讯数据

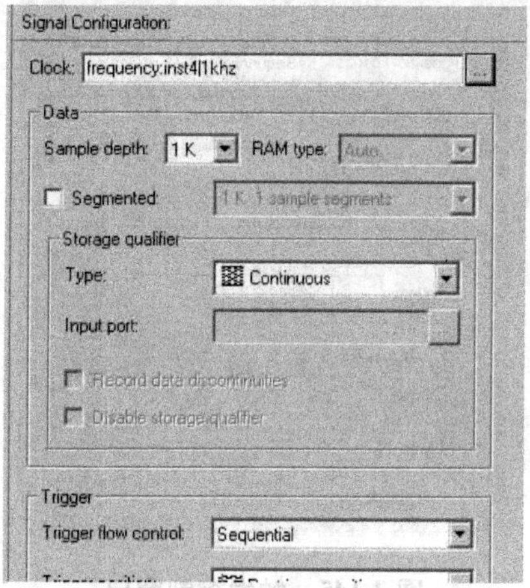

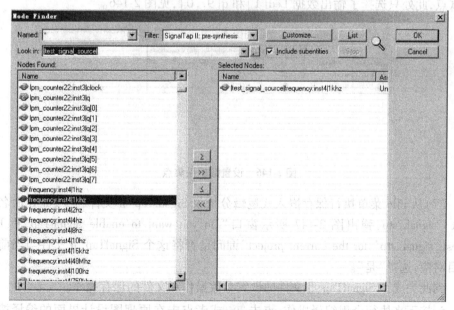

图 2-142　信号配置窗口

图 2-143　选择采样时钟

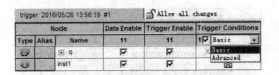

图 2-144　触发类型窗口

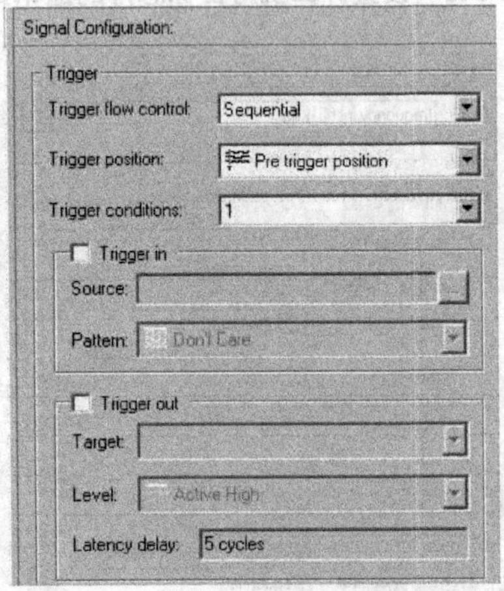

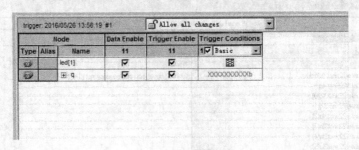

图 2-145　触发控制窗口

测试点,此处只选择了输出数据 Led[1]和 q[9..0],见图 2-146。

图 2-146　设置数据采集点

(7)从 File 菜单执行保存嵌入式逻辑分析仪 SignalTap Ⅱ 文件命令,此处命名为 Test _ signal. stp,弹出图 2-147 所示窗口"Do you want to enable SignalTap Ⅱ File 'Test _signal. stp' for the current project"询问是否将这个 SignalTap Ⅱ 文件与当前的项目对应,选择"是"。

到此完成了 SignalTap Ⅱ 文件的设置参数操作和文件的保存操作。

5. 接下来执行全程编译操作,点击 ,或者点击在原理图设计界面的编译按钮

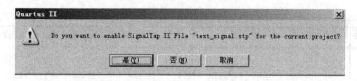

图 2-147 逻辑分析仪文件与项目对应

▶,如发现错误应根据提示更正设计直至编译成功为止。

6. 点击 ⬚ 或者在原理图设计界面的下载按钮 ⬚ 进行硬件连接、下载程序。

7. 点击 ⬚ 运行逻辑分析仪,查看检测的数据,不断按 KEY[1] 观察输出结果。由于这个电路是要输出正弦波和锯齿波,所以以波形的形式显示更为直观,所以在要显示的节点上右击鼠标,在弹出的快捷菜单中选择 Bus Display Format→Unsigned Line Chart 模式,见图 2-148,可以观察到图 2-149 和图 2-150 所示的图像。特别关注 LED[1] 与波形的对应关系:不按 KEY[1],LED[1] 灯灭,输出锯齿波;按下 KEY[1],LED[1] 灯点亮,输出正弦波。

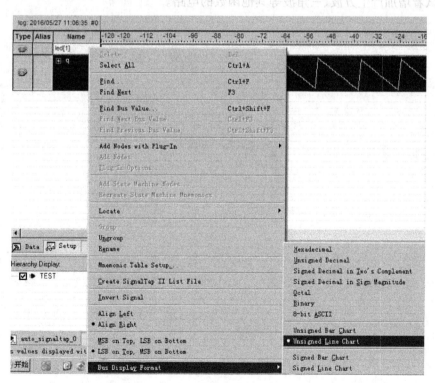

图 2-148 设置检测数据的显示模式

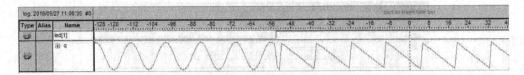

图 2-149　正弦波与锯齿波转换瞬间

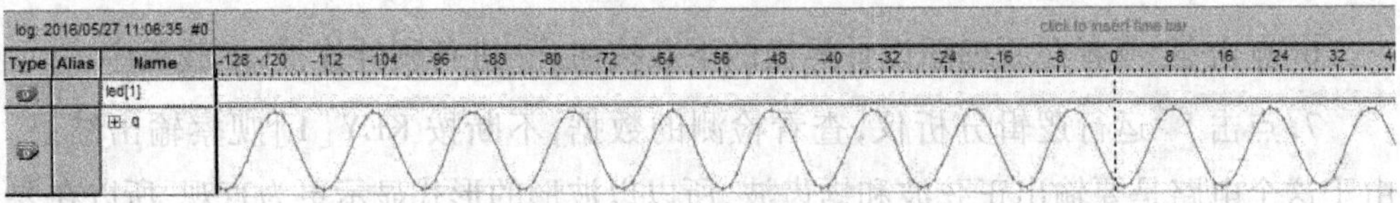

图 2-150　稳定的正弦波波形

思考题

试着增加产生方波、三角波等其他函数的电路。

第三章　数字电子技术课程设计

　　课程设计阶段是在前两章的单元实验基础上进行的一次综合系统设计实践过程,通过这一过程既可以锻炼学生综合设计能力,又可以使学生在课程设计的过程中建立系统设计的意识。在课程设计环节要求学生针对需要解决的实际问题进行分析和设计,利用所学的理论知识熟练地使用逻辑门、译码器、触发器、计数器等模块正确地设计电子电路。

一、课程设计报告要求

1. 说明所完成题目的设计思路及设计方法。
2. 画出设计流程图。
3. 详细叙述程序设计、软件编译、仿真分析、硬件测试过程。
4. 写出每个电路设计所使用的模块的使用方法。
5. 写出测试结果并加以分析和说明。
6. 写出设计系统的操作要求(参考电器产品的使用说明书)。
7. 谈谈完成课程设计的心得体会(不用空话套话)。

二、数字系统设计方法

1. 现代数字系统设计概述

　　处于21世纪的今天,电子电路的设计已经离不开计算机的参与,EDA技术成为每个电子工程师必须掌握的技能。到目前为止电子系统设计经过了如下三个阶段。

　　第一阶段,是人工设计方法。这是一种传统的设计方法,在这个阶段数字系统的设计从方案的提出、验证和修改均采用人工手段完成,尤其是系统的验证需要经过实际搭接电路来完成,因此这种方法花费大、效率低、制造周期长。

　　第二阶段,是人和计算机共同完成电子系统的设计,这是初期的EDA方法:借助于计算机来完成数据处理、模拟评价、设计验证等部分工作。因此,在这个阶段,电子设计工程师可以设计规模稍大的电子系统。

　　第三阶段,是电子设计自动化(Electronic Design Automation,EDA)。电子系统的整个设计过程或绝大部分设计均由计算机来完成。

　　传统的设计方法,也就是第一、第二发展阶段,都是自底向上的。即首先确定可用的元器件,然后根据这些器件进行逻辑设计,完成各模块后进行连接,最后形成系统。而后经调试、测量看整个系统是否达到规定的性能指标。

　　首先这种"自底向上"的设计方法常常受到设计者的经验及市场器件情况等因素限制，且没有明显的规律可循。其次系统测试在系统硬件完成后进行。如果发现系统设计需要修改，则需要重新制作电路板，重新购买器件，重新调试与修改设计。整个修改过程花费大量的时间与经费。

　　基于 EDA 技术的所谓自顶向下的设计方法正好相反，它首先从系统设计入手，在顶层进行功能划分和结构设计，并在系统级采用仿真手段验证设计的正确性，然后再逐级设计低层的结构，实现设计、仿真、测试一体化。其方案的验证与设计、电路与PCB 设计、专用集成电路(Application Specific Integrated Circuit, ASIC)设计等都由电子系统设计师借助于 EDA 工具完成。自顶向下设计方法的特点表现在：

　　(1)基于 PLD 硬件和 EDA 工具支撑。

　　(2)采用逐级仿真技术，以便及早发现问题，修改设计方案。

　　(3)基于网上设计技术使全球设计者设计成果共享，设计成果的再利用得到保证。现代的电子应用系统正向模块化发展，或者说向软硬核组合的方向发展。对于以往成功的设计成果稍作修改，组合就能投入再利用，从而产生全新的或派生的设计模块，同时还可以以一种 IP 核的方式进行存档。

　　(4)由于采用的是结构化开发手段，可实现多人多任务的并行工作方式，使复杂系统的设计规模和效率大幅度提高。

　　(5)在选择器件的类型、规模、硬件结构等方面具有更大的自由度。所谓分层次设计，是将设计层次分成 5 级，即印制系统级、寄存器传输级、门级、电路级和器件(板图)级。其中，系统是最上一层，是最抽象的设计层次，它将电子系统看作由一些系统部件组成，而各部件之间的连接可以是抽象的，只要表达清楚系统的体系结构、数据处理功能、算法等即可；寄存器传输级则以具有内部状态的寄存器以及连接寄存器之间的逻辑单元作为部件，重点在于表达信号的运算、传输和状态的转移过程；门级设计也就是逻辑设计，它以电路或触发器作基本部件，表达各种逻辑关系；电路级设计则以可看作分立的基本元件，具体表达电路在时域的伏安特性或频域的响应等性能；器件级又称为板图级，现代电路设计以板图级设计作为最底层次。

　　基于 EDA 软件平台的计算机辅助设计的另一特点是日益强大的仿真测试技术，所谓仿真(Simulating)就是设计的输入、输出(或中间变量)之间的信号关系由计算机根据设计提供的设计方案从各种不同层次的系统性能特点完成一系列准确逻辑和时序验证。测试技术是在完成实际系统的安装后，只需通过计算机就能对系统上的目标器件进行所谓边界扫描测试。仿真测试技术极大地提高了电子设计的自动化程度。

2.现代数字系统设计的方法

Quartus Ⅱ平台集成了多种设计入口(如图形、HDL、波形、状态机),而且还提供了不同设计平台之间的信息交流接口和一定数量的功能模块库供设计人员直接选用。设计者可以根据功能模块具体情况灵活选用,下面是几种常用的较为成熟的设计方法:

(1)原理图设计;

(2)HDL 程序设计;

(3)状态机设计;

(4)波形输入设计;

(5)基于 IP 平台的设计。

3.现代数字系统的设计流程

现代数字系统的设计流程是指利用 EDA 开发软件和编程工具对可编程逻辑器件进行开发的过程。在 EDA 软件平台上,利用原理图方式或者硬件描述语言 HDL 等手段完成设计,接着结合多层次的仿真技术,在确保设计的可行性与正确性的前提下,完成功能确认,然后利用 EDA 工具的逻辑综合功能,把功能描述转换成某一具体目标芯片的网表文件,输出给该器件厂商的布局布线适配器,进行逻辑编译、逻辑化简及优化、逻辑映射及布局布线,再利用产生的仿真文件进行包括功能和时序的验证,以确保实际系统的性能,直至对于特定目标芯片的编程下载等工作。尽管目标系统是硬件,但整个设计和修改过程如同完成软件设计一样方便和高效。整个过程包括设计准备、设计输入、设计处理和器件编程四个步骤以及相应的功能仿真、时序仿真和器件测试三个设计验证过程。现代数字系统的设计流程如图 3-1 所示。

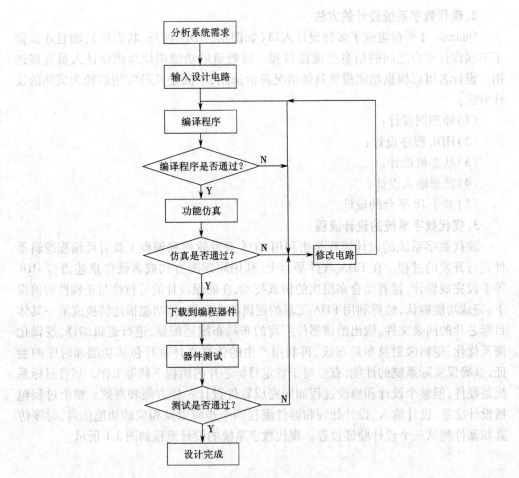

图 3-1　数字系统设计流程图

课程设计一　简易电子琴的设计和实现

一、系统设计要求

1. 设计一个简易的电子琴,它可以通过按键来控制发声。
2. 可以选择手动演奏还是自动演奏已储存好的乐曲。
3. 能够自动演奏多首乐曲并能重复播放。
4. 显示播放的音符(1,2,3,4,5,6,7),并能区分高中低音。

二、设计方案提示

本设计是要利用可编程逻辑器件配以一个小扬声器设计一个音乐发生器,同时这个程序具有自动播放曲目和键盘弹奏歌曲两种功能。

1. 电子琴系统简介

音乐的十二平均律规定:每两个八度音(如简谱中的中音 1 与高音 1)之间的频率相差一倍。在两个八度音之间,又可分为十二个半音。另外,音名 A(简谱中的低音 6)的频率为 440 Hz,音名 B 到 C 之间、E 到 F 之间为半音,其余为全音。由此可以计算出简谱中从低音 1 至高音 1 之间每个音名的频率,如表 3-1 所示。

表 3-1　简谱中的音名与频率之间的关系

音　阶		Octave0/Hz	Octave1/Hz	Octave2/Hz	Octave3/Hz
Do	C	262	523	1 047	2 093
	Db	277	554	1 109	2 217
Re	D	294	587	1 175	2 349
	Eb	311	622	1 245	2 489
Mi	E	330	659	1 329	2 637
Fa	F	349	698	1 397	2 794
	Gb	370	740	1 480	2 960
Sol	G	392	784	1 568	3 136
	Ab	415	831	1 661	3 322

表 3-1(续)

音　阶		Octave0/Hz	Octave1/Hz	Octave2/Hz	Octave3/Hz
La	A	440	880	1 760	3 520
	Bb	466	923	1 865	3 729
Si	B	494	988	1 976	3 951

　　电子琴键的发声原理是某个琴键按下去的那一时间段控制电路给扬声器输出固定的频率信号。

　　鉴于实验箱的限制,本系统只能用 7 个按键控制发声,这里我们用 7 个键盘来控制产生低音(或中音)段的 7 个音阶频率。

　　另外实验箱内提供的频率信号是有限的,因此所有的音名频率只能通过一个基准频率经过分频得到,为保证所得到的频率的精度这个基准频率不能过低。但是基准频率过高,虽然误差变小,但分频电路将变得烦琐。实际的设计应综合考虑这两方面的因素,在尽量减小频率误差的前提下取合适的基准频率。

　　此处以 750 kHz 信号为基准频率进行分频。这一频率在第二章"实验五　计数器模块的应用"中已经得到:Frequency 模块。

2. 音阶频率的获得

　　如图 3-2 所示,所有不同音名频率信号都是从同一个基准频率分频而来,如果输入频率为 750 kHz,对于频率为 262 的音阶,应该进行 $750\,000 \div 262 = 2\,862.595\,4 \approx 2\,863$ 分频,即设计一个模为 2 863 的计数器;而对于最高频率为 3 951 Hz 的音阶,就要进行 $750\,000 \div 3\,951 = 189.825\,3 \approx 190$ 分频,即设计一个模为 190 的计数器。

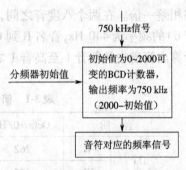

图 3-2　音阶频率获得程序流程框图

　　如果以这样的分频结果直接输出给扬声器,这个频率信号的脉冲的占空比会非常窄,例如对应"190 分频"的分频器,输出对应的占空比为 $190 \div 750\,000 \approx 2.5 \times 10^{-4}$,也就是 0.025% 的时间段输出高电平。这样的信号是不足以驱动扬声器的工作的。为了解决这个问题,可以先将原频率分频分成期望值的 2 倍频率信号,然后再进行二分频,这样的输出频率信号就是一个占空比为 50% 的脉冲信号。例如,要得到 262 Hz 的信号,基准频率信号为 750 kHz,那么我们应先进行 1 431 分频,得到的频率为 524 Hz,然后再进行二分频,这样可以得到"低音 1"也就是频率为 262 Hz 占空比为 50% 的脉冲信号。

表 3-2 中列出了用 750 kHz 源信号得到表 3-1 所列频率对应的第一次分频系数。

表 3-2　基准频率为 750 kHz 时音频频率与第一次分频系数对照表

音频频率	第一次分频系数	音频频率	第一次分频系数	音频频率	第一次分频系数
262	1 431. 29	1 329	282. 17	831	451. 26
277	1 353. 79	1 397	268. 43	880	426. 13
294	1 275. 51	1 480	253. 38	923	406. 28
311	1 205. 73	1 568	239. 16	988	379. 56
330	1 136. 36	1 661	225. 77	2 093	179. 17
349	1 074. 50	1 760	213. 07	2 217	169. 15
370	1 013. 51	1 865	201. 07	2 349	159. 64
392	956. 63	1 976	189. 78	2 489	150. 66
415	903. 61	523	717. 01	2 637	142. 21
440	852. 27	554	676. 90	2 794	134. 21
466	804. 72	587	638. 84	2 960	126. 69
494	759. 11	622	602. 89	3 136	119. 58
1047	358. 17	659	569. 04	3 322	112. 88
1109	338. 14	698	537. 25	3 520	106. 53
1175	319. 15	740	506. 76	3 729	100. 56
1245	301. 20	784	478. 32	3 951	94. 91

如果要一一设计分频器得到上面的频率会是一项令人头痛的枯燥工作。为了简化这个工作可以通过设计一个"带有预置数的计数器"来简化整个设计过程。

观察表 3-2 会发现最大分频系数为 1 431,最小分频系数为 95,都在 2 000 以内,因此可以设计一个起始值可变终值为 2 000 的计数器。之所以选择终值为 2 000,是因为这样的计数器设计比较简单。

图 3-3 就是这个计数器电路,这个电路包括了最后的二分频电路。将这个计数器"打包"成模块备以后调用(图 3-4)。模块包括三个输入端,一个输出端。其中 P[15..0]为预置数输入端,此数应为 4 位 BCD 数,48 MHz 端接芯片的系统时钟,KEY_IN 端接相应的"琴键",输出端 SPEAKER 接扬声器(Pin:175)。

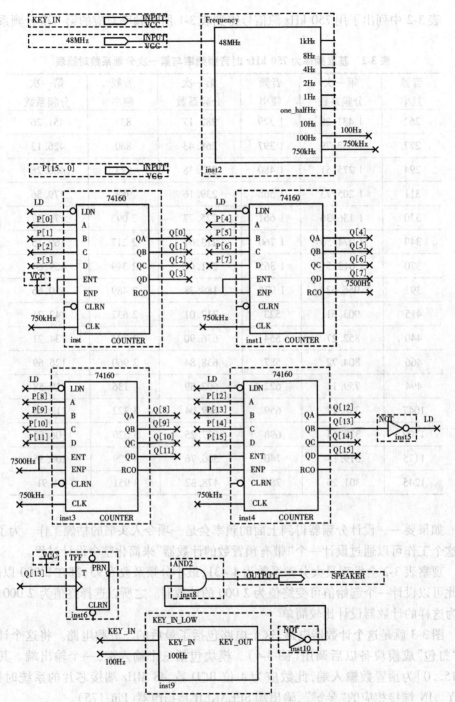

图 3-3 音频产生电路(MUSICAL _ NOTE. bdf)

调用 MUSICAL＿NOTE 的方法：

将预置数设计为 570(2 001－1 431＝570)，即这个计数器在 570～2 000 之间循环计数，恰好有 1 431 个输入信号周期，然后对这个频率再进行二分频就会得到 262 Hz 占空比为 50% 的脉冲信号，此信号为"低音1"；而要得到 3 951 Hz 的频率就可以将预置数设定为 1 906，这时计数器就是在 1 906～2 000 之间计数，即进行 95 分频，然后再进行二分频，输出信号就是"高音

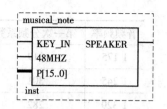

图 3-4 音频产生模块
(MUSICAL＿NOTE. bsf)

7"；对于频率为 1 047 Hz 的音阶，需要进行 358 分频，这时预置数就应该为 1 643，此时计数范围为 1 643～2 000，此时这个计数器为模 358 计数器。

由此看出，这样的设计可以大大简化设计的工作量。对于乐曲中的休止符，只要将分频系数设为 1，即初始值为 2 000 即可，此时听不到扬声器发出的"声音"。

表 3-3 所示为基准频率为 750 kHz 时音频频率与第一次分频系数以及预置数对照表。表 3-4 所示为高中低音对应分频初始值常数模块。

表 3-3 基准频率为 750 kHz 时音频频率与第一次分频系数以及预置数对照表

音频频率	第一次分频系数	初始值	音频频率	第一次分频系数	初始值
262	1 431	570	523	717. 017 208 4	1 284
277	1 354	647	554	676. 895 306 9	1 324
294	1 276	725	587	638. 841 567 3	1 362
311	1 206	795	622	602. 893 890 7	1 398
330	1 136	865	659	569. 044 006 1	1 432
349	1 074	927	698	537. 249 283 7	1 464
370	1 013	987	740	506. 756 756 8	1 494
392	957	1 044	784	478. 316 326 5	1 523
415	904	1 097	831	451. 263 537 9	1 550
440	852	1 149	880	426. 136 363 6	1 575
466	805	1 196	923	406. 283 857	1 595
494	759	1 242	988	379. 554 655 9	1 621
1 047	358	1 643	2 093	179. 168 657 4	1 822
1 109	338	1 663	2 217	169. 147 496 6	1 832

表 3-3(续)

音频频率	第一次分频系数	初始值	音频频率	第一次分频系数	初始值
1 175	319	1 682	2 349	159. 642 401	1 841
1 245	301	1 700	2 489	150. 662 916 8	1 850
1 329	282	1 719	2 637	142. 207 053 5	1 859
1 397	268	1 733	2 794	134. 216 177 5	1 867
1 480	253	1 748	2 960	126. 689 189 2	1 874
1 568	239	1 762	3 136	119. 579 081 6	1 881
1 661	226	1 775	3 322	112. 883 804 9	1 888
1 760	213. 068 181 8	1 788	3 520	106. 534 090 9	1 894
1 865	201. 072 386 1	1 800	3 729	100. 563 153 7	1 900
1 976	189. 777 327 9	1 811	3 951	94. 912 680 33	1 906

表 3-4　高中低音对应分频初始值常数模块

表 3-4（续）

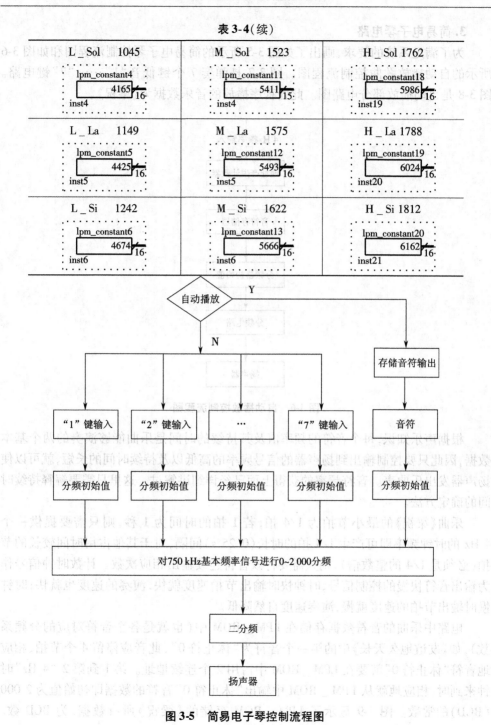

L _ Sol 1045	M _ Sol 1523	H _ Sol 1762
lpm_constant4 4165 16 inst4	lpm_constant11 5411 15 inst4	lpm_constant18 5986 16 inst19
L _ La 1149	M _ La 1575	H _ La 1788
lpm_constant5 4425 16 inst5	lpm_constant12 5493 16 inst5	lpm_constant19 6024 16 inst20
L _ Si 1242	M _ Si 1622	H _ Si 1812
lpm_constant6 4674 16 inst6	lpm_constant13 5666 16 inst6	lpm_constant20 6162 16 inst21

图 3-5　简易电子琴控制流程图

3. 简易电子琴电路

　　为了满足系统的要求,画出了如图 3-5 所示的简易电子琴控制流程图和如图 3-6 所示的自动播放歌曲控制流程图。图 3-7 是弹奏 7 个键低音"1"……"7"键电路。图 3-8 是自动播放部分电路图。此处程序播放的音乐数据为《梁祝》。

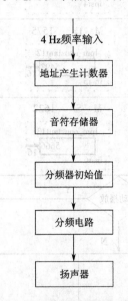

4 Hz频率输入

图 3-6　　自动播放控制流程图

　　根据声乐知识,每个音符的频率值及其持续的时间是乐曲能够演奏的两个基本数据,因此只要控制输出到扬声器的信号频率的高低以及持续时间的长短,就可以使扬声器发出乐曲声。音符频率的获得上面已经详细讲解过。这里只需要解释持续时间的确定方法。

　　乐曲《梁祝》的最小节拍为 1/4 拍,若 1 拍的时间为 1 秒,则只需要提供一个 4 Hz 的时钟频率即可产生 1/4 拍的时长(0.25 s)间隔,对于其他占用时间较长的节拍(必须是 1/4 的整数倍),则只需要将该音符连续输出相应次数。计数时钟信号作为输出音符快慢的控制信号,时钟快时输出节拍速度就快,演奏的速度也就快;时钟慢时输出节拍的速度就慢,演奏速度自然降低。

　　电路中乐曲的音符数据存储在 LPM _ ROM 中(也就是各个音符对应的分频系数),如《友谊地久天长》中的第一个音符为"休止符 0",此音应停留 4 个节拍,相应地音符"休止符 0"就要在 LPM _ ROM 中占用 2 个连续地址。第 1 到第 2 "4 Hz"时钟来到时,相应地就从 LPM _ ROM 中输出"休止符 0"音符的数据即初始值为 2 000 (BCD)的常数。图 3-9 显示了 LPM _ ROM 存储的《梁祝》所有数据,为 BCD 数。

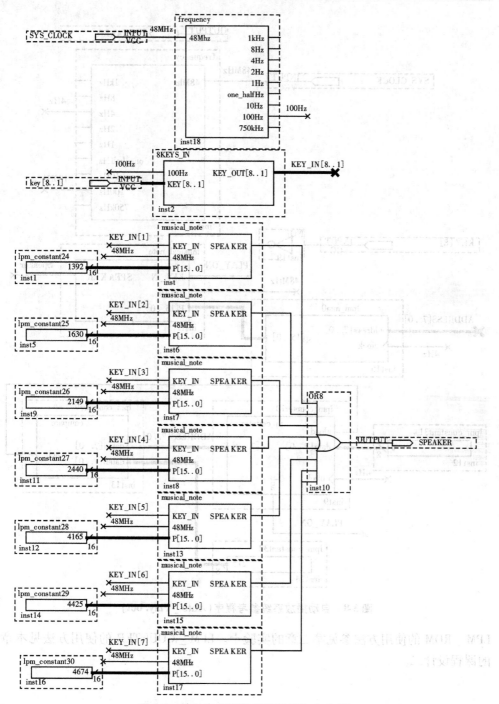

图 3-7 简易电子琴参考程序 (Music. bdf)

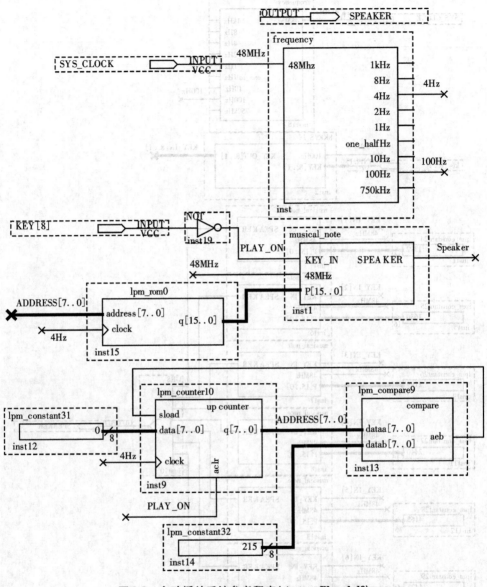

图 3-8　自动播放系统参考程序(Auto _ Play. bdf)

LPM _ ROM 的使用方法参见第二章的实验十。LPM _ COUNTER 的使用方法见本章的课程设计二。

乐曲《梁祝》的简谱：

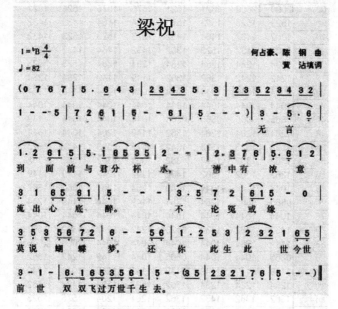

图 3-9　《梁祝》简谱

注：以上数据实为 BCD 数，因此输入数据应采用 HEX 类型。修改数据类型的界面，设置方法见第二章的"实验十　波形发生电路（嵌入式逻辑分析仪 SignalTap Ⅱ 的调用）"。

Addr	+0	+1	+2	+3	+4	+5	+6	+7
00	2000	2000	1621	1621	1575	1575	1621	1621
08	1523	1523	1523	1575	1464	1464	1432	1432
10	1362	1432	1464	1432	1523	1523	1523	1432
18	1362	1432	1523	1362	1432	1464	1432	1362
20	1284	1284	1284	1284	1284	1284	1523	1523
28	1242	1242	1362	1362	1149	1149	1284	1284
30	1044	1044	1044	1044	1044	1044	1149	1284
38	1044	1044	1044	1044	1044	1044	1044	1044
40	0865	0865	0865	0865	1044	1044	1044	1149
48	1284	1284	1284	1362	1149	1284	1044	1044
50	1523	1523	1523	1643	1575	1523	1432	1523
58	1362	1362	1362	1362	1362	1362	1362	1362
60	1362	1362	1362	1432	1242	1242	1149	1149
68	1044	1044	1044	1149	1284	1284	1362	1362
70	0865	0865	1284	1284	1149	1044	1149	1284
78	1044	1044	1044	1044	1044	1044	1044	1044
80	1432	1432	1432	1523	1242	1242	1362	1362
88	1149	1284	1044	1044	1044	1044	2000	2000
90	0865	1044	1044	0865	1044	1149	1242	1362
98	1149	1149	1149	1149	1149	1149	1044	1149
a0	1284	1284	1284	1362	1523	1523	1432	1432
a8	1362	1362	1432	1362	1284	1284	1575	1523
b0	0865	0865	0865	9865	1284	1284	1284	1284
b8	1149	1284	1149	1044	0865	1044	1149	1284
c0	1044	1044	1044	1044	1044	1044	1432	1523
c8	1362	1432	1362	1284	1242	1242	1149	1149
d0	1044	1044	1044	1044	1044	1044	1044	1044

图 3-10　《梁祝》音符数据文件(song1. mif)

以上. mif 格式数据文件还可以采用 Windows 自带画图程序,画出要显示的内容并存储为 BMP 格式;然后使用 Bmp To Mif 软件,生成对应的存储器文件(. mif)。

课程设计二 音乐彩灯控制系统

一、系统设计要求

1. 播放一首音乐使彩灯随着音符跳动。
2. 可以有多首歌曲供选择,彩灯随音乐播放的形式可以改变。

二、设计方案提示

音乐发声电路的原理参见本章的"课程设计一 简易电子琴的设计和实现"。
图 3-11 为音乐彩灯控制流程图。

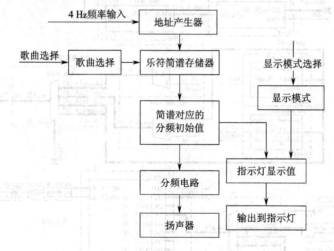

图 3-11 音乐彩灯控制流程图

图 3-12 为只播放一首歌曲的参考电路图,彩灯随着播出音符的简谱数值点亮,
即音阶"1"点亮"LED1",音阶"2"点亮"LED2",……,音阶"7"点亮"LED7"。

音乐控制部分的电路设计方式与课程设计一所提示的方式略有改变。如果要实
现设计要求还需要对图 3-12 所示程序加以补充和完善。

首先,程序设计了一个计数器用来产生音符储存地址数值,地址数值的变化间隔
为 0.25 s,即 4 Hz 脉冲信号。计数由模块 LPM_COUNTER10 来实现。接下来地址
数值送到模块 LPM_ROM2 的地址输入端,LPM_ROM2 中存储着《梁祝》的简谱,

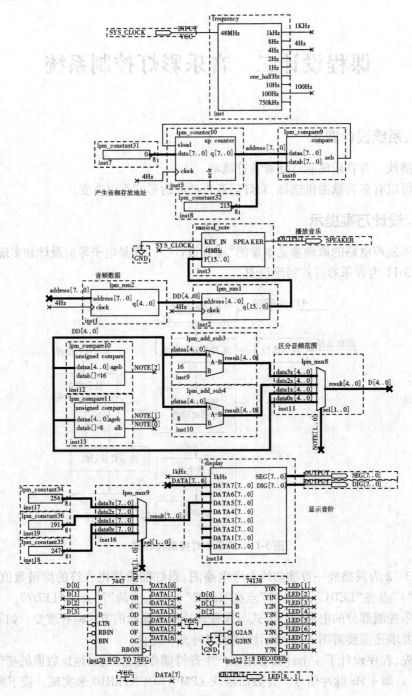

图 3-12　音乐彩灯控制参考程序 (music _ neon. bdf)

216 个数据,见图 3-13。图中显示的数值为 BCD 数,即选择存储数据为十六进制数方式,当然也可以显示成十进制数。在图 3-13 中,0 表示休止符;1,2,3,4,5,6,7 表示低音 DO,RE,MI,FA,SOL,LA,SI;9,A,B,C,D,E,F 表示中音 DO,RE,MI,FA,SOL,LA,SI;11,12,13,14,15,16,17 表示高音 DO,RE,MI,FA,SOL,LA,SI。

Addr	+0	+1	+2	+3	+4	+5	+6	+7	+8	+9	+10	+11	+12	+13	+14	+15
0	00	00	0F	0F	0E	0E	0F	0F	0D	0D	0D	0E	0C	0C	0B	0B
16	0A	0B	0C	0B	0D	0D	0D	0B	0A	0B	0D	0A	0B	0C	0B	0A
32	09	09	09	09	09	09	0D	0D	07	07	0A	0A	06	06	09	09
48	05	05	05	05	05	09	05	05	05	05	05	05	05	05	05	05
64	03	03	03	03	05	05	05	06	09	09	09	0A	06	09	05	05
80	0D	0D	0D	11	0E	0D	0B	0D	0A	0A	0A	0A	0A	0A	0A	0A
96	0A	0A	0A	0B	07	07	06	06	05	05	05	06	09	09	0A	0A
112	03	03	09	09	06	05	05	05	05	05	05	05	05	05	05	05
128	0B	0B	0B	0D	07	07	0A	0A	06	05	05	05	05	05	00	00
144	03	05	05	03	05	06	07	05	05	05	05	05	05	05	05	05
160	09	09	09	0A	0D	0D	0B	0B	0A	0A	0B	0A	09	09	0E	0D
176	03	03	03	03	09	09	09	09	06	09	06	05	05	03	05	06	09
192	05	05	05	05	05	05	0B	0D	0A	0B	0A	09	07	07	06	06
208	05	05	05	05	05	05	05	05								

图 3-13 《梁祝》简谱数据(SONG2.mif)

接着 LPM_ROM2 中的每个数值依次送到 LPM_ROM1 的地址端,LPM_ROM1 的相应地址中的内容正是对应音符的分频初始数据,见图 3-14(SONG_NOTE.mif)。最后将这个数值送到模块 MUSIC_NOTE(详细内容见"课程设计—简易电子琴的设计和实现")模块中进行分频,输出对应的声音频率信号。

Addr	+0	+1	+2	+3	+4	+5	+6	+7
00	2000	0570	0726	0865	0988	1045	1149	1242
08	2000	1284	1363	1432	1464	1523	1575	1622
10	2000	1643	1682	1719	1733	1762	1788	1812

图 3-14 简谱音阶对应分频初始值(SONG_NOTE.mif)

在发声的同时程序判断当前输出的频率属于低音、中音还是高音信号,如果是高音信号,将 ROM2 中的数值减 16 送多路数据选择器 LPM_MUX8 的 data3x[4…0]端;如果是中音信号,将 ROM2 中的数值减 8 送多路数据选择器 LPM_MUX8 的 data2x[4…0]端中;如果是低音信号则不进行操作送多路数据选择器 LPM_MUX8 的 data1x[4…0]中。这些数据经过 LPM_MUX8 将这些信号送到数码管显示,即为

"DO,RE,MI,FA,SOL,LA,SI",简谱的"1,2,3,4,5,6,7";同时还要将"﹒﹒﹒""－""·"送到另外的一个数码管中代表"低""中""高"音。由于显示的内容不仅仅是 BCD 数,因此显示模块调用了 Display。

　　其中参数化计数器模块 LPM ＿ COUNTER 的使用方法见图 3-15 至图 3-18。

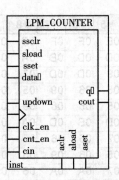

图 3-15　　LPM ＿ COUNTER 模块

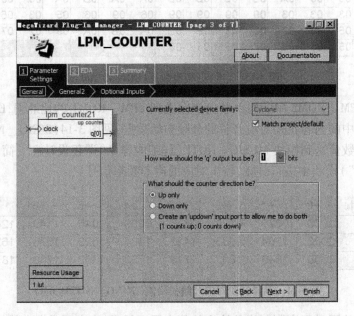

图 3-16　　LPM ＿ COUNTER 计数方式的设定

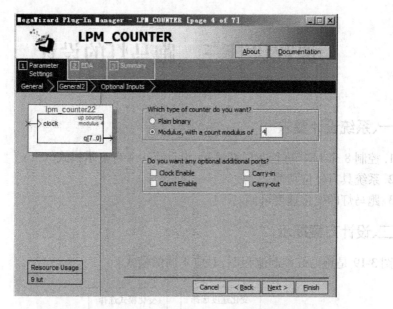

图 3-17　LPM ＿ COUNTER 计数系数、使能及进位的设定

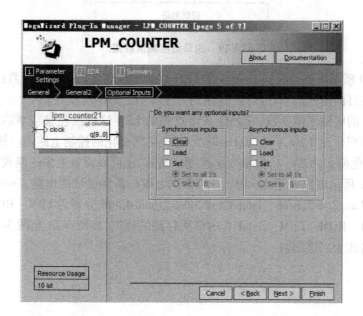

图 3-18　LPM ＿ COUNTER 所需同步输入和异步输入的设定

课程设计三 跑马灯的设计

一、系统设计要求

1. 控制 8 个 LED 进行花样性显示，设计至少 4 种显示模式。
2. 系统具有复位功能。
3. 跑马灯的变化速度可调。

二、设计方案提示

图 3-19 是跑马灯控制流程图，对应不同的模式。

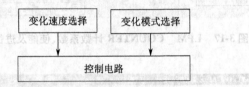

图 3-19 跑马灯控制流程图

图 3-20 所示电路是模式 1：使 8 个 LED 灯依次点亮然后全灭的电路；模块 74194 是实现点亮灯的模式的核心器件，其使用方法见第二章的实验八。

模式 2 的电路见图 3-21，它是使一个点亮的 LED 灯依次左移或者右移；同时可以使跑马灯变化在 8 Hz，4 Hz，2 Hz 以及 1 Hz 之间变化的控制电路图。输入键 KEY[1]控制变化模式，KEY[2]控制变化速度。当然，还可以设置更多的模式。

图 3-22 所示电路是采用 LPM_ROM 作为核心器件设计的电路。neon_lamp1. mif，neon_lamp2. mif，neon_lamp3. mif，neon_lamp4. mif 分别为 LPM_ROM7，LPM_ROM8，LPM_ROM9，LPM_ROM10 内部所存储的数据，如图 3-23 至图 3-26 所示，显示的数据格式为二进制数。

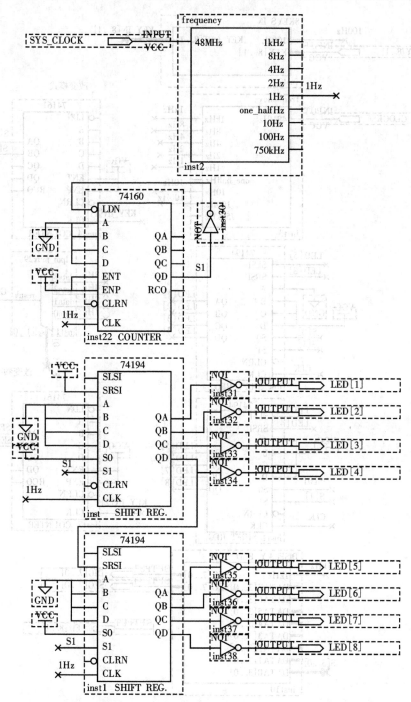

图 3-20　跑马灯的控制参考程序 1(Test _ Start _ Lamp. bdf)

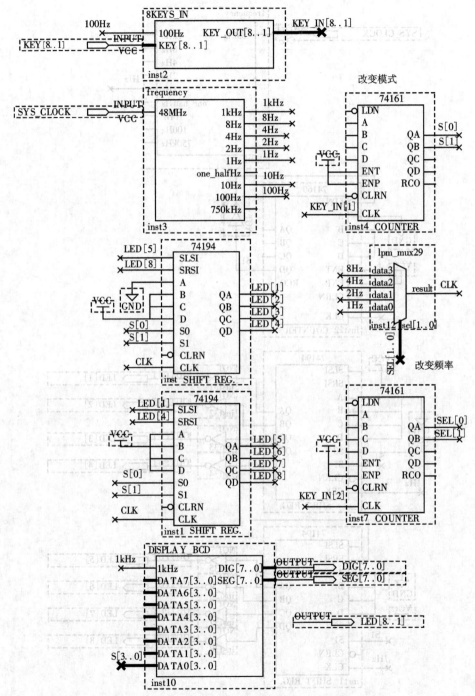

图 3-21　跑马灯的控制参考程序 2（Neon_Lamp.bdf）

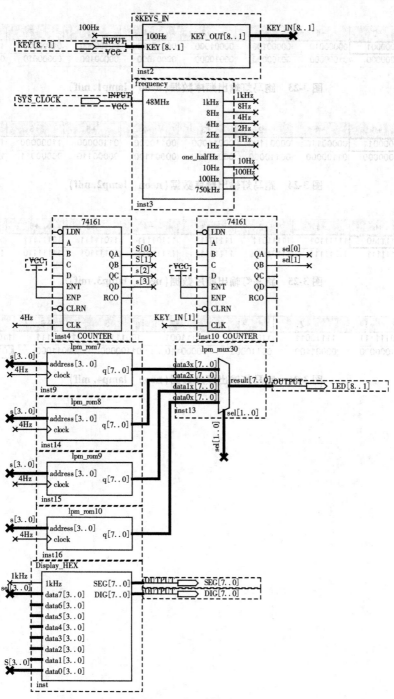

图 3-22 跑马灯的控制参考程序 3(Neon _ Lamp _ Rom. bdf)

Addr	+0	+1	+2	+3	+4	+5	+6	+7
0	00000001	00000010	00000100	00001000	00010000	00100000	01000000	10000000
8	10000000	01000000	00100000	00010000	00001000	00000100	00000010	00000001

图 3-23　跑马灯输出顺序数据(neon _ lamp1. mif)

Addr	+0	+1	+2	+3	+4	+5	+6	+7
0	00000011	00000110	00001100	00011000	00110000	01100000	11000000	10000001
8	11000000	01100000	00110000	00011000	00001100	00000110	00000011	10000001

图 3-24　跑马灯输出顺序数据(neon _ lamp2. mif)

Addr	+0	+1	+2	+3	+4	+5	+6	+7
0	11111110	11111101	11111011	11110111	11101111	11011111	10111111	01111111
8	10111111	11011111	11101111	11110111	11111011	11111101	11111110	11111101

图 3-25　跑马灯输出顺序数据(neon _ lamp3. mif)

Addr	+1	+2	+3	+4	+5	+6	+7
0	00111111	11110011	11001111	11111001	10011111	11100111	11000011
8	11000000	00001100	00110000	00000110	01100000	00011000	00111100

图 3-26　跑马灯输出顺序数据(neon _ lamp4. mif)

课程设计四　汽车尾灯控制器的设计

一、系统设计要求

利用直流电机模仿汽车。

1. 汽车正常行驶时指示灯都不亮。
2. 汽车右转弯时,右侧的四盏指示灯向右移动。
3. 汽车左转弯时,左侧的四盏指示灯向左移动。
4. 汽车刹车时,所有灯同时一直亮。
5. 紧急停车时,所有灯亮并闪烁。
6. 倒车时,所有灯都亮并伴有声音提示。
7. 汽车在夜间行驶时,左右两侧的两盏指示灯同时一直亮,供照明使用。

二、设计方案提示

图 3-27 描述了根据系统要求所设计程序的流程框图。

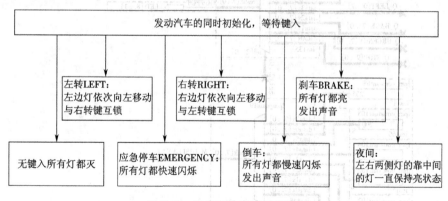

图 3-27　汽车尾灯控制流程图

图 3-28 和图 3-29 为参考程序,其中不包括电机控制部分,电机控制方法参考本章的"课程设计九　直流电机的控制与测试"。该程序关于倒车声音提示可以为 1 kHz 频率、1 Hz 间隔,也可以加入音乐提示。

根据系统要求,将各个键的功能列于表 3-5 中。

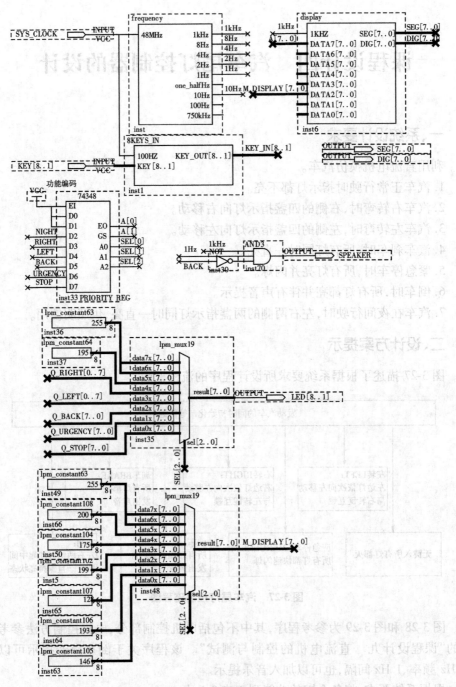

图 3-28　汽车尾灯控制参考程序（Car _ Light. bdf）

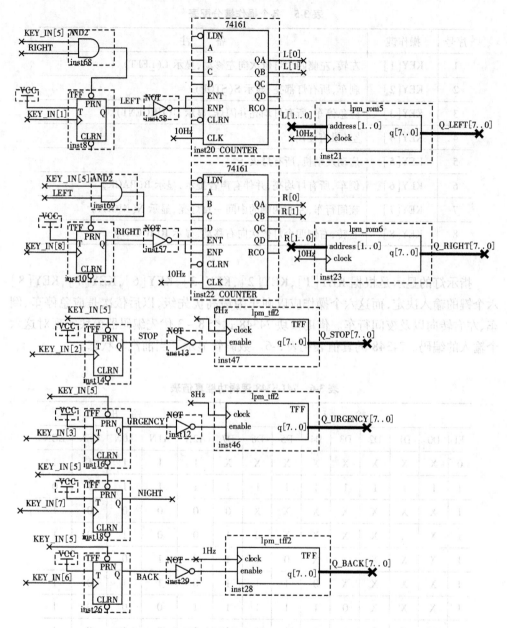

图 3-29 汽车尾灯控制参考程序(续)(Car_Light.bdf)

表 3-5　各个操作键分配表

序号	操作键	备　　　注
1	KEY[1]	左转,左侧四个灯依次向左移动,显示 L(LEFT)
2	KEY[2]	刹车,所有灯都亮,显示 S(STOP)
3	KEY[3]	应急停车,所有灯均亮并闪烁,显示 U(URGENT)
4	KEY[4]	空(没有使用)
5	KEY[5]	启动发动机,所有灯灭
6	KEY[6]	倒车,所有灯均亮,并伴有声音提示,显示 B(BACK)
7	KEY[7]	夜间行车,左右两侧的中间一直灯亮,显示 N(NIGHT)
8	KEY[8]	右转,右侧四个灯依次向右移动,显示 R(RIGHT)

指示灯的显示是根据 KEY[1],KEY[2],KEY[3],KEY[6],KEY[7],KEY[8] 六个键的输入决定,而这六个操作应以刹车为最高优先级,以后依次是应急停车、倒车、左右转向以及夜间行车。借助模块 74348 这个 8~3 优先编码器模块实现对这六个输入的编码。74348 的真值表见表 3-6。数码管显示了当前汽车状态。

表 3-6　74LS348 逻辑功能真值表

输　　　入									输　　　出				
EI	D0	D1	D2	D3	D4	D5	D6	D7	A2N	A1N	A0N	GSN	EON
0	X	X	X	X	X	X	X	X	1	1	1	1	1
1	1	1	1	1	1	1	1	1	1	1	1	1	0
1	X	X	X	X	X	X	X	0	0	0	0	0	1
1	X	X	X	X	X	X	0	1	0	0	1	0	1
1	X	X	X	X	X	0	1	1	0	1	0	0	1
1	X	X	X	X	0	1	1	1	0	1	1	0	1
1	X	X	X	0	1	1	1	1	1	0	0	0	1
1	X	X	0	1	1	1	1	1	1	0	1	0	1
1	X	0	1	1	1	1	1	1	1	1	0	0	1
1	0	1	1	1	1	1	1	1	1	1	1	0	1

　　程序中首先对键入信号进行消抖动处理,然后再进行编码,根据当前的输入状况确定输出信号。对于紧急停车、刹车、倒车等操作,采用参数化 T 触发器 LPM_TFF,实现多位 T 触发器同时动作。模块 AND5 控制在倒车时发出间歇声音报警信号。

　　对于左转右转的操作,采用参数化 LPM_ROM 模块。左转数据存储模块 LPM_ROM5(这个 5 是编程中的模块编号,系统自动生成,下面的 LPM_ROM6 同理)中存储着四个数,分别为二进制数 1110 1111,1101 1111,1011 1111,0111 1111。右转数据存储模块 LPM_ROM6 中存储着四个数,分别为二进制数 1111 0111,1111 1011,1111 1101,1111 1110,见图 3-30 和图 3-31。

Addr	+0	+1	+2	+3
0	11101111	11011111	10111111	01111111

图 3-30　MOVETOLEFT. mif

Addr	+0	+1	+2	+3
0	11110111	11111011	11111101	11111110

图 3-31　MOVETORIGHT. mif

　　对于夜灯照明以及无键入信号进行灭灯处理均采用参数化常数模块 LPM_CONSTANT 直接输出,分别为 1100 0011,1111 1111。

课程设计五 简易抢答器设计和实现

一、系统设计要求

1. 1～6号表示6个选手，抢答中锁定并显示最先抢答选手。
2. 声音报警提醒主持人有人抢答。
3. 主持人控制整个系统的运行。
4. 对于抢答、重复抢答给出声、光报警提示。
5. 对成绩有显示，含有加分、减分功能。
6. 对有时间限制的过程进行倒计时显示。

二、设计方案提示

电子抢答器是人们熟悉的一种电子装置，它在进行智力竞赛的抢答比赛时指出最先按下抢答按键的参赛者，只有该参赛者才能获得答题的机会。

在进行知识竞赛时，需要将参赛者分为若干组进行抢答，究竟谁先谁后单凭主持人的眼睛很难判断，在提问或回答时，往往都要有时间限制。另外犯规违章要发出一种特殊信号，以便主持人看得清听得到。这些都应是抢答器具备的基本功能。

如图3-32所示，整个系统可以分为三个部分，即采样电路模块、分析处理模块和显示电路模块。

接通电源后，主持人将开关拨到"清除"状态，抢答器处于禁止状态，编号显示器灭灯，定时器显示设定时间；主持人将开关置"开始"状态，宣布"开始"抢答器工作。定时器倒计时，扬声器给出声响提示。选手在定时时间内抢答时，抢答器完成优先判断、编号锁存、编号显示和扬声器提示等功能。当一轮抢答之后，定时器停止、禁止二次抢答、定时器显示剩余时间。如果再次抢答必须由主持人再次操作"清除"和"开始"状态开关。

编码由74148模块实现，锁存功能由74175模块完成，见图3-33和图3-34。

74175为上升沿触发的4D触发器，使用方法参考第一章的"实验四 触发器的功能测试"中关于74LS74的说明。

74148为8～3线优先编码器，使用方法见表3-7。

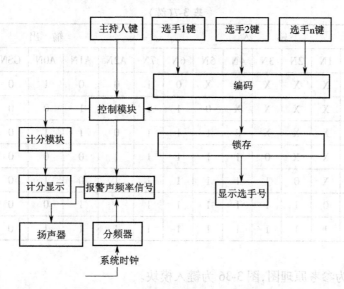

图 3-32　简易抢答器系统设计电路框图

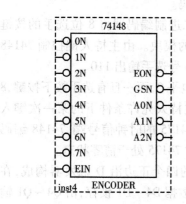

图 3-33　74148 逻辑符号

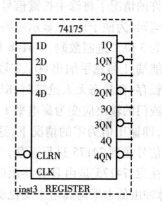

图 3-34　74175 逻辑符号

表 3-7　74148 功能表

输　　　入									输　　　出				
EI	0N	1N	2N	3N	4N	5N	6N	7N	A2N	A1N	A0N	GSN	EON
0	X	X	X	X	X	X	X	X	1	1	1	1	1
1	1	1	1	1	1	1	1	1	1	1	1	1	0
1	X	X	X	X	X	X	X	0	0	0	0	0	1

表 3-7（续）

	输　　入								输　　出				
EI	0N	1N	2N	3N	4N	5N	6N	7N	A2N	A1N	A0N	GSN	EON
1	X	X	X	X	X	X	0	1	0	0	1	0	1
1	X	X	X	X	X	0	1	1	0	1	0	0	1
1	X	X	X	X	0	1	1	1	0	1	1	0	1
1	X	X	X	0	1	1	1	1	1	0	0	0	1
1	X	X	0	1	1	1	1	1	1	0	1	0	1
1	X	0	1	1	1	1	1	1	1	1	0	0	1
1	0	1	1	1	1	1	1	1	1	1	1	0	1

图 3-35 为参考原理图,图 3-36 为键入模块。

图中 Key1 ~ 6 号表示 6 个选手,Start 由主持人控制。键入模块(Key _ in)在主持人允许的情况下将选手按键信号送到 74148 进行编码。

编码:为便于锁存、显示抢答的选手号,可利用二进制编码器将 8 位选手的按键号编为 3 位二进制数码。74148 即为完成编码任务的模块。由主持人键控制 74148 的使能端,1 号选手输出 001,2 号选手输出 010,…,6 号选手输出 110。

锁存:在静态无人抢答时,KEY _ COME 端为低电平 0,而一旦有选手按下按键,8 输入或门的输出应变为高电平 1,如果这个信号为主持人允许条件下的第一次键入信号,即输出值为零的情况下,这个脉冲信号送到 74175 的时钟信号端,74148 编码后的信号送到 74175 进行锁存,当主持人没有允许时 74175 处于清零状态。

注意:74175 是由具有共用时钟脉冲和清零端的四个正边沿 D 触发器构成,在 CP 脉冲由低电平向高电平变化瞬间,锁存器将输入数据 D4 ~ D1 锁存,由 Q4 ~ Q1 输出,过后又维持不变,从而实现数据的锁存。所以要实现数据的锁存,关键在于 CP 时钟信号的控制。

在主持人还没有允许的情况下,如果有选手按键(抢答),则蜂鸣器发出报警信号。

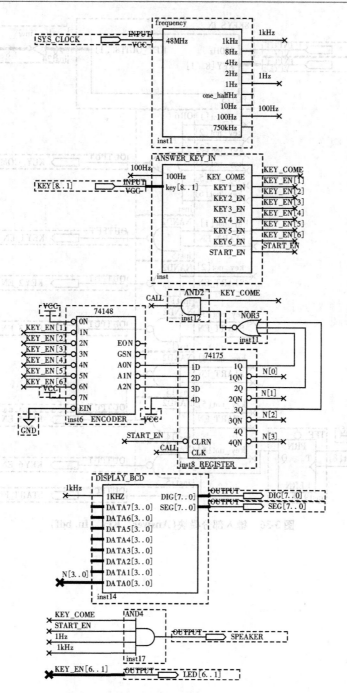

图 3-35　简易抢答器参考程序（Answer. bdf）

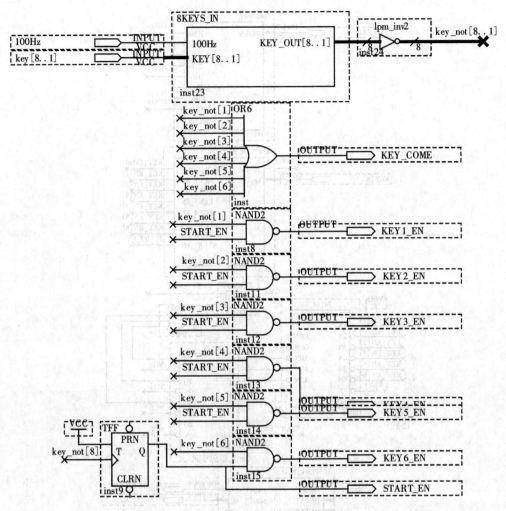

图 3-36　键入部分模块(Answer _ Key _ In. bdf)

课程设计六 多功能数字钟的设计

一、系统设计要求

设计一个多功能数字钟,可以具有以下功能:

1. 具有时分秒的时间显示,并可以在 12 h 制和 24 h 制之间转换;
2. 调整时间;
3. 设定闹钟;
4. 进行整点报时以及半点报时;
5. 进行数字秒表计时;
6. 进行年月日计时;
7. 盲人报时功能,即通过声音实时报时;
8. 电子表处于其他功能状态下时并不影响数字钟的运行。

二、设计方案提示

一个最基本的时钟应由三个部分组成:分频电路部分、计数显示部分和时钟调整部分。一个时钟的准确与否取决于秒脉冲的精确度。为了保证计时准确,我们对系统时钟 48 MHz 进行分频以及显示部分可使用前面所设计好了的模块 Frequency 和 Display_ BCD。对于校时电路方法多种多样,设计的原则是用尽量少的键盘输入,例如,Set,+ ,− ,OK 四个键实现,所有这些可以参照普通电子手表的操作。

图 3-37 显示了基本数字钟电路控制框图。从图 3-37 中可以看出,这个系统由秒计数模块、分计数模块、小时计数模块、报警模块、时间设置模块和译码显示模块等组成。

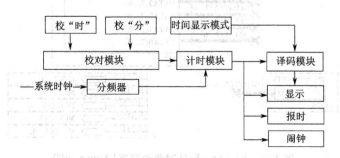

图 3-37　智能数字钟电路控制框图

　　图 3-38 是时 – 分 – 秒计时的原理图程序。图 3-39 和图 3-40 分别为六十进制和二十四进制计数模块。图 3-41 是在图 3-38 的基础上加以改进,增加了半点和整点报时功能:计时达到 29 分 50 秒和 59 分 50 秒分别用不同频率的声音提示。由于声音提示是单一频率信号,比较刺耳,因此加上了间歇,使得人们听到的声音较为舒服。

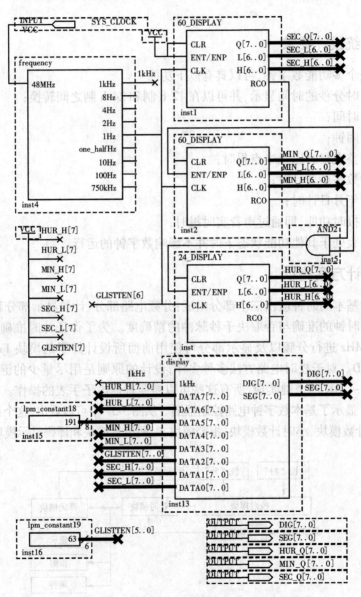

图 3-38　时 – 分 – 秒计时参考程序(Timer. bdf)

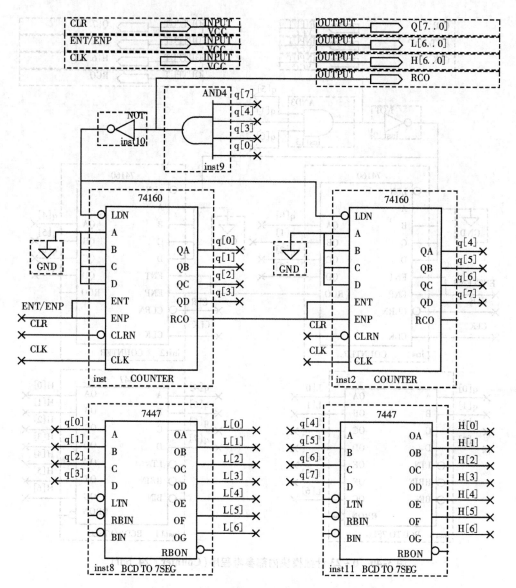

图 3-39 0～59 计数模块内部电路(Counter _ 60. bdf)

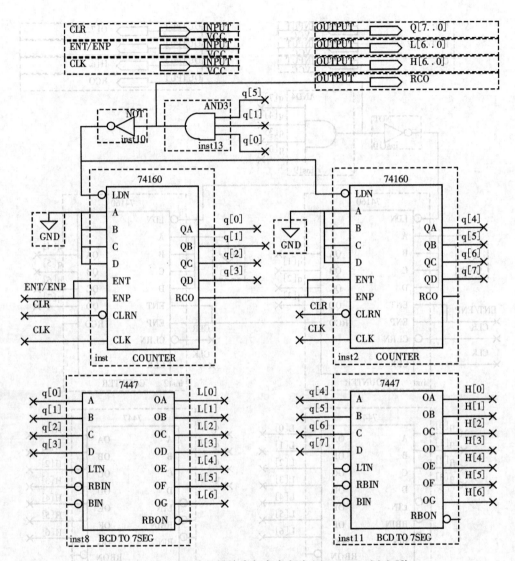

图 3-40　0~23 计数模块内部参考程序（Counter_24. bdf）

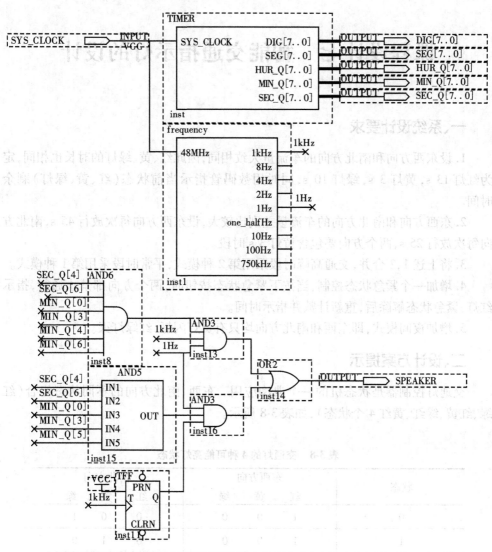

图 3-41　添加了报时功能的计时参考程序（Timer _ 1. bdf）

课程设计七　智能交通指示灯的设计

一、系统设计要求

1. 设东西方向和南北方向的车流量大致相同,因此红、黄、绿灯的时长也相同,定为红灯 13 s,黄灯 3 s,绿灯 10 s,同时用数码管指示当前状态(红、黄、绿灯)剩余时间。

2. 东西方向和南北方向的车流量差别比较大,设东西方向每次放行 45 s,南北方向每次放行 25 s,两个方向要包含黄灯 3 s 时段。

3. 将上述 1,2 合并,交通高峰时段采用第 2 种模式,平常时段采用第 1 种模式。

4. 增加一个紧急状态控制,当按下紧急状态按钮时,两个方向都禁止通行,指示红灯;紧急状态解除后,重新计数并指示时间。

5. 增加夜间模式,即东西和南北方向均只有黄灯闪烁,红绿灯灭。

二、设计方案提示

交通灯控制器是状态机的一个典型应用。东西、南北方向的不同状态组合(红绿、红黄、绿红、黄红 4 个状态),如表 3-8 所示。

表 3-8　交通灯的 4 种可能亮灯状态

状态	东西方向			南北方向		
	红	黄	绿	红	黄	绿
0	1	0	0	0	0	1
1	1	0	0	0	1	0
2	0	0	1	1	0	0
3	0	1	0	1	0	0

图 3-42 为智能交通灯基本功能控制框图。从图中可以看出,整个程序一个时间周期包括四个时间段,即:

1. 东西方向禁行,南北方向通行;

2. 东西方向禁行,南北方向黄灯闪烁;

3. 东西方向通行,南北方向禁行;

4. 东西方向黄灯闪烁,南北方向禁行。

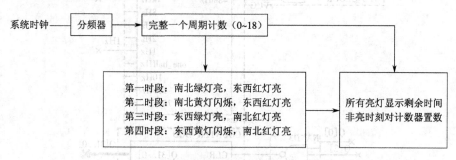

图 3-42 智能交通灯基本控制框图

图 3-43 和图 3-44 为实现第 1 种模式的电路图。图 3-45 是总图中出现的模块内部电路图。在图 3-43 和图 3-44 中,frequency 是分频器,将实验箱提供的 48 MHz 分频成多种频率信号;COUNTER _ BCD 是四位 BCD 加计数器,记录一个周期的时间。

lpm _ compare16,lpm _ compare 17,lpm _ compare 18 分出了四个时间段,可以根据这四个时间段驱动指示灯以及剩余时间显示。由于实验箱上数码管的数量的限制,所以这里只设计了南北方向的时间显示。

COUNTER _ BCD _ DN 模块被设计成可预置数两位 BCD 减计数器。这个减计数器在相应的灯亮时刻做减计数,在非计数时刻处于置数状态,模块内部的 74192 是 BCD 可预置数的加减计数器。

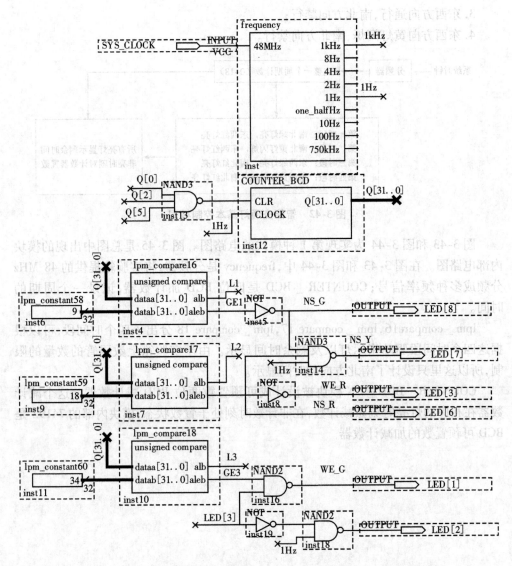

图 3-43   交通灯控制系统参考程序 1(Traffic _ Light _ Control. bdf)

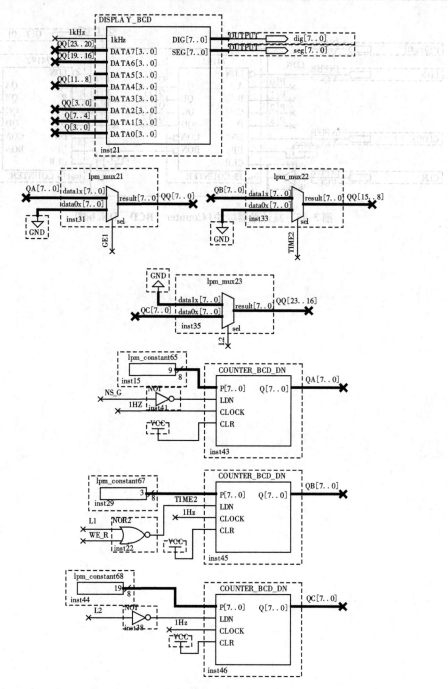

图 3-44 交通灯控制系统参考程序 2 (Traffic _ Light _ Control. bdf)

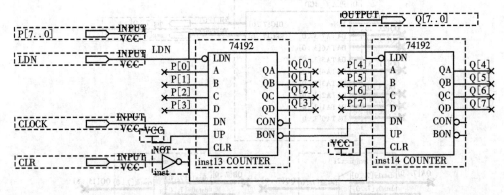

图 3-45　减计数器模块（Counter ＿ BCD ＿ DN. bdf）

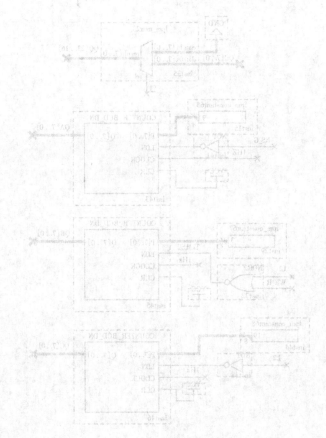

课程设计八 乒乓球游戏电路的设计

一、系统设计要求

设计一个乒乓球游戏机,模拟乒乓球比赛基本过程和规则,并能自动裁判和计分。使用乒乓球游戏机的甲、乙双方各在不同的位置发球或击球,乒乓球的位置和移动方向可由 LED 显示灯和依次点亮的方向决定,球的移动速度可变,使用者可按乒乓球的位置发出相应的动作,提前击球或出界均判失分。其游戏规则如下:

1. 在系统通电后要按下"复位"键,此时比赛处于暂停状态,只有裁判按下"开始"键才能进行比赛。

2. 系统应设计"暂停"键控制比赛的进行与否。

3. 按照乒乓球游戏规则双方的轮换发球。

4. 发球:在暂停状态下按下"球拍"按键发球,球从发球方第一个位置开始向对方运动,球所在位置的发光二极管点亮;按照乒乓球比赛规则每个选手只能连续发球两次,第一个球由 A 选手发球。

5. 接球:接球方必须在球达到自己方(靠近自己的四个灯其中一个亮)时按下"球拍"键接球。如果接球成功,则球开始反方向运动,等待对方接球,否则为失球。

6. 失球:若接球失败则对方加 1 分,得分通过相应的数码管显示,同时通过扬声器发出失球提示音。失球后转到"暂停"状态,等待下一次发球。

7. 比赛每局采用 11 分制,且赢方必须超出输方 2 分;每盘七局四胜,每局第一个发球也要轮换进行,即第一局 A 方先发球,第二局 B 方先发球……

二、设计方案提示

根据系统要求,程序主要是根据球拍的动作控制球的运动与否和运动方向;当对方未接到球时本侧选手得分并显示,同时产生提示音,因此可以将电路划分为两个模块:球的运动控制模块和计分模块。

球的控制模块的主要功能是只要有发球或接球信号,则生成乒乓球灯的使能信号,系统的状态变为"游戏中",并根据左、右球拍拍击球动作生成乒乓球的方向控制信号;根据使能信号和方向控制信号驱动 8 个发光二极管按正确的顺序依次点亮。球运动控制程序流程如图 3-46 所示。

计分模块控制计数器计数,计分结果来控制发球权。当某侧选手失球时,且球拍控制模块提供失球脉冲信号,在该信号的驱动下,另一侧选手的得分计数器加1,并将计数器结果提供给数码管进行显示;同时输出扬声器的驱动信号。当清零信号到来时,计数器清零。图3-47所示为计分模块流程图。

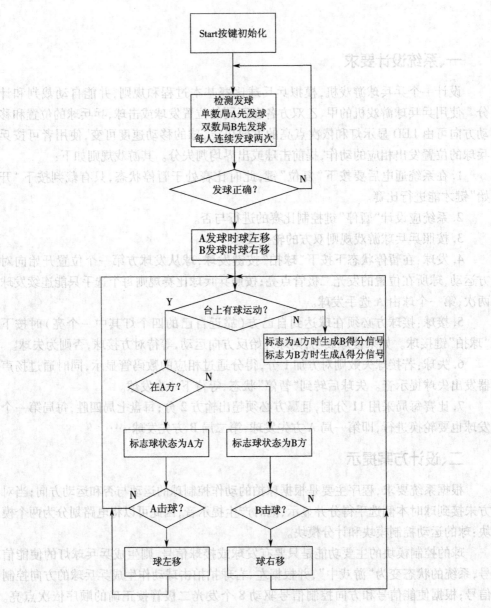

图3-46 球运动控制程序流程图

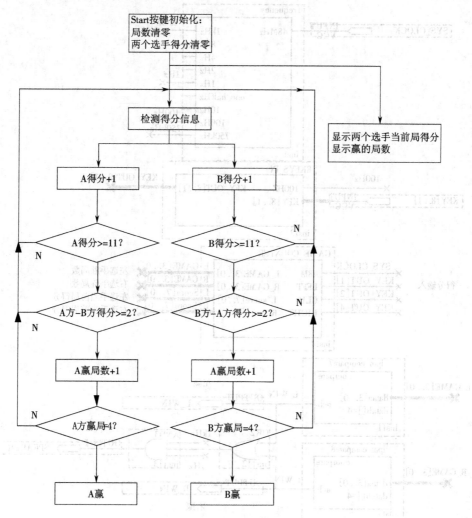

图 3-47 计分模块流程图

使用实验箱提供的 8 个发光二极管模拟乒乓球的运动,使用按键 1 和按键 8 模拟 A,B 两个选手,使用数码管 1,2 和数码管 7,8 显示比赛双方的得分;使用 7 键控制游戏的复位。这里定义了两种游戏状态:"暂停""游戏中"。在暂停状态下,所有发光二极管熄灭,按下球拍按键则产生发球信号;在"游戏中"状态,发光二极管根据方向信号依次点亮,只有球到达接球方时"球拍"按键才有效。当有发球/接球脉冲后,状态为"游戏中";当有失球信号或清零信号后,状态变为"暂停"。乒乓球运动的各种程序如图 3-48 至图 3-51 所示。

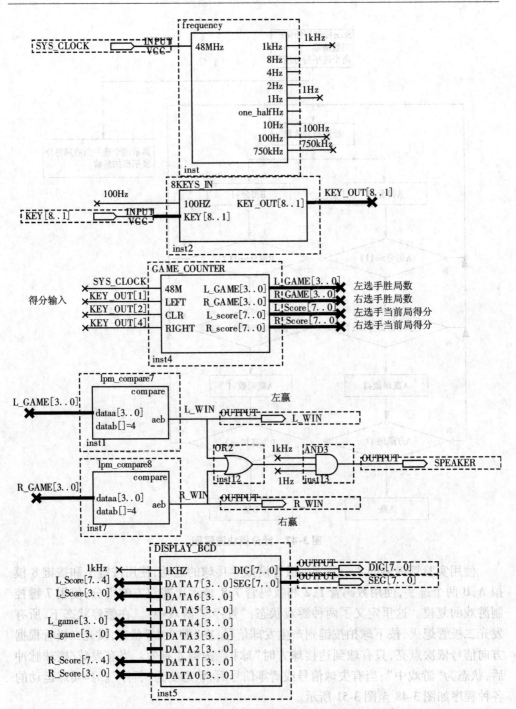

图 3-48 乒乓球计分参考程序(PingPang _ Score. bdf)

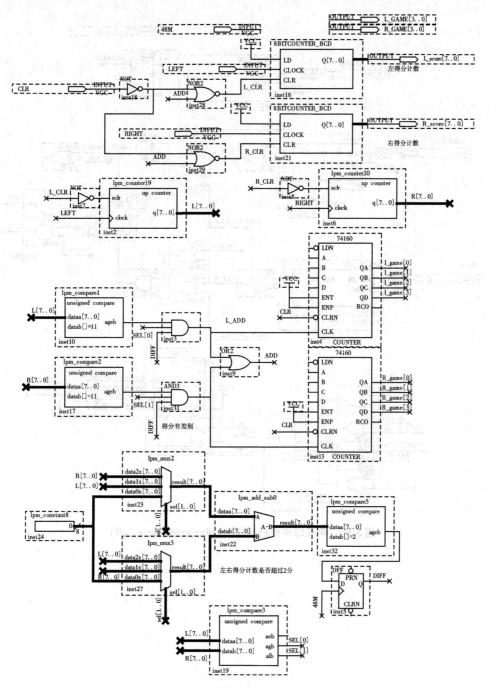

图 3-49　Game 模块程序(Game_Counter. bdf)

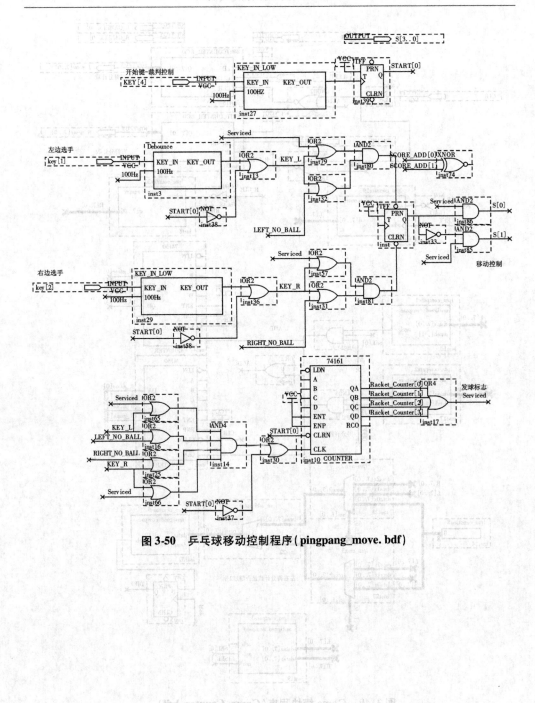

图 3-50　乒乓球移动控制程序(pingpang_move. bdf)

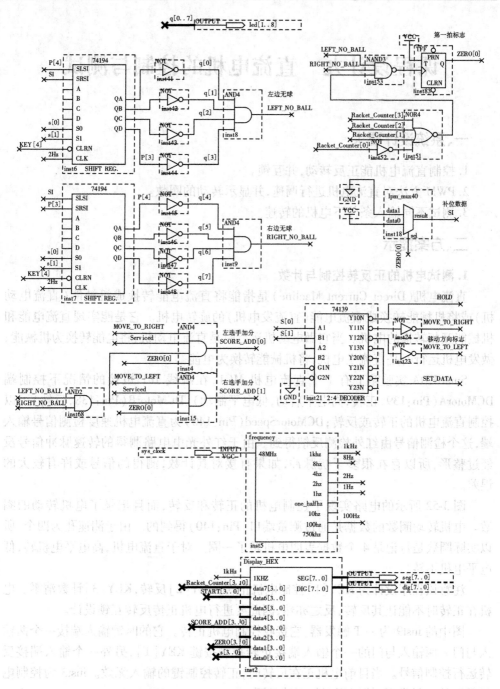

图 3-51　乒乓球移动控制程序（续）（pingpang_move. bdf）

课程设计九　直流电机的控制与测试

一、系统设计要求

1. 控制直流电机能正反转动,并互锁。
2. PWM 方法对直流电机进行调速,并显示转动的圈数。
3. 测试不同输入条件下电机的转速。

二、方案提示

1. 测试电机的正反转控制与计数

　　直流电机(Direct Current Macline)是指能将直流电能转换成机械能(直流电动机)或将机械能转换成直流电能(直流发电机)的旋转电机。它是能实现直流电能和机械能互相转换的电机。当它做电动机运行时是直流电动机,将电能转换为机械能;做发电机运行时是直流发电机,将机械能转换为电能。

　　SmartEDA 实验箱上有 1 个直流电机 MG1,在跳线 JP1 短接的情况下控制端DCMotorA(Pin:139,正转,高电平启动,低电平制动)、DCMotorB(Pin:138,反转)可以控制直流电机的正转或反转;DCMotorSpeed(Pin:140)为直流电机速度检测信号输入端,这个检测信号由红外检测反馈得到。由于红外光电电路测得的转速脉冲信号没经过整形,所以存在很多干扰脉冲,如果直接对其计数,测得的信号或许有较大的误差。

　　图 3-52 所示的电路实现了控制电机的正转和反转,而且记录了电机转动的圈数。电机转动圈数的数据是通过测量端口(Pin:140)得到的。由于测速孔为四个,所以实际圈数是每记录 4 个数据表明电机转了一圈。对于直流电机,高电平电机转,低电平电机不转。

　　注意该程序设计为 KEY[1]控制电机正转,KEY[2]反转,KEY[3]计数清零。电机在正转时不能让其反转,反之亦然,因此要进行电机正传反转互锁设计。

　　图中的 inst9 为一 T 触发器,它接收控制电机正转。它的时钟输入端接一个两输入与门。两输入与门的一个输入端接正转控制按键 KEY[1],另外一个输入端接反转运行控制信号。当目前电机正在反转时,正转控制键的输入无效。inst3 为控制电机反转的 T 触发器,控制原理与正转相同。

　　图 3-53 为 8 位 BCD 计数程序。表 3-9 用来记录电机的转速。

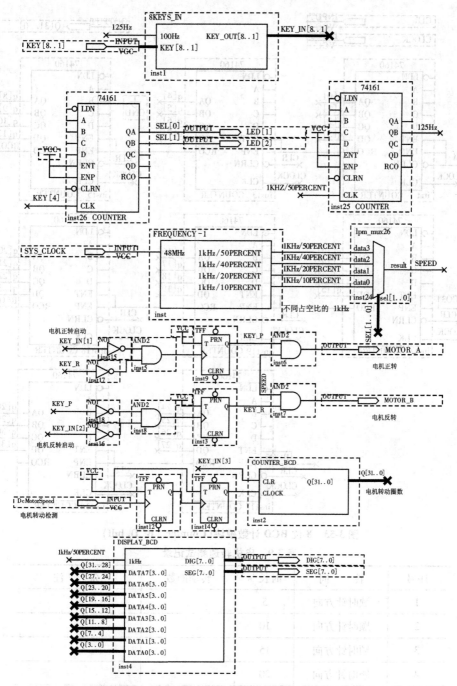

图 3-52 电机控制测试参考程序（Test_motor. bdf）

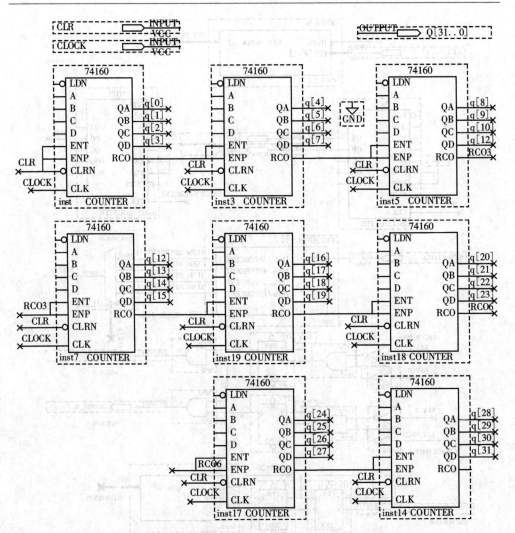

图 3-53 8 位 BCD 计数模块（Counter _ BCD. bdf）

表 3-9 电机转速测试记录

序号	转 向	时长/s	转动圈数	备 注
1	顺时针方向	5		
2	顺时针方向	10		
3	顺时针方向	15		
4	顺时针方向	20		
5	顺时针方向	25		

表 3-9(续)

序号	转　　向	时长/s	转动圈数	备　　注
6	逆时针方向	5		
7	逆时针方向	10		
8	逆时针方向	15		
9	逆时针方向	20		
10	逆时针方向	25		

2. 采用 PWM 控制电机的转速

对直流电机进行调速控制可以通过改变加在电机两端的电压值来实现,也可以通过改变通电时间间隔来控制电机的转速,称为 PWM(Pulse Width Modulation)控制。其实质是对一个固定频率的脉冲的占空比进行调节,因此可以对图 3-52 所示电路进行改进,使之可以改变电机的转速。

图 3-54 所示电路为产生不同占空比但频率均为 1 kHz 脉冲信号的电路。将这个电路制作成可调用的模块 frequency _ 1. bsf。图 3-55 和图 3-56 调用这个模块。通过按键 KEY[4]来改变送到电机的信号,也就是将用不同占空比的 1 kHz 信号控制电机的运转。按照表 3-10 记录在不同时间内、不同占空比的 1 kHz 信号控制的电机的转速。

表 3-10　电机转速测试记录

序号	转向	转速输入频率 1 kHz	转速输入频率 500 kHz	转速输入频率 100 kHz	转速输入频率 750 kHz	备　　注
1						占空比为 0%
2						占空比为 10%
3						占空比为 20%
4						占空比为 30%
5						占空比为 40%
6						占空比为 50%
7						占空比为 60%
8						占空比为 70%
9						占空比为 80%
10						占空比为 90%

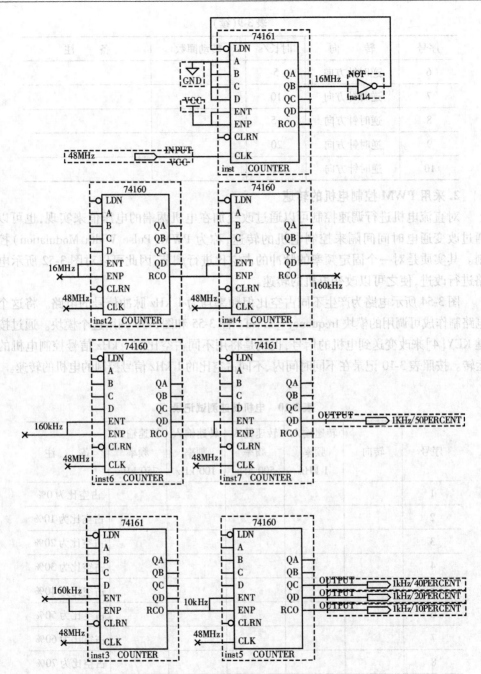

图 3-54　产生不同占空比的 **1 kHz** 信号的电路（**frequency＿1. bdf**）

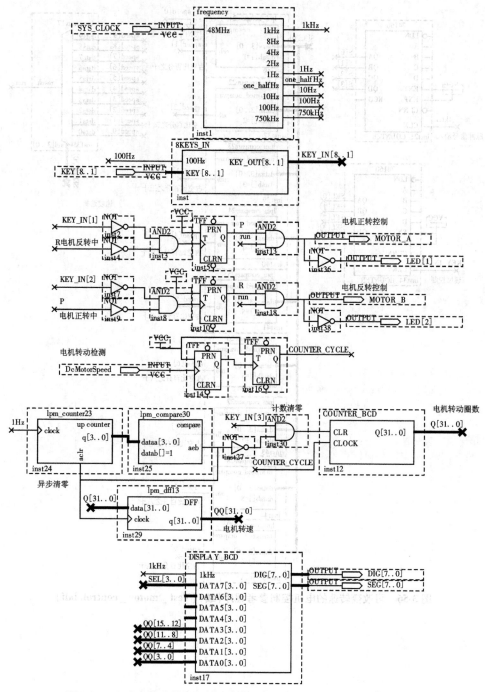

图 3-55　可改变转速的电机控制参考程序（Test _ motor _ control. bdf）

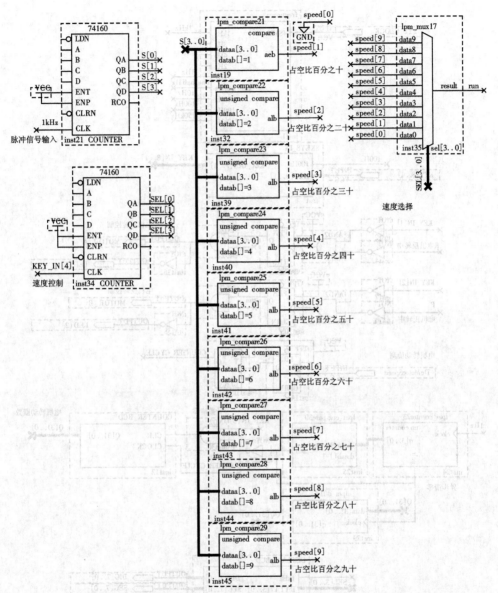

图 3-56　可改变转速的电机控制参考程序(续)(Test _ motor _ control. bdf)

课程设计十　步进电机的控制与测试

一、系统设计要求

1. 控制步进电机转动,转动的方式可以通过按键来改变。
2. 对步进电机进行调速,并显示转动的圈数以及每一步的转动角度。

二、方案提示

步进电机是将电脉冲信号转变为角位移或线位移的开环控制元件。在非超载的情况下,电机的转速、停止的位置只取决于脉冲信号的频率和脉冲数,而不受负载变化的影响。当步进驱动器接收到一个脉冲信号,它就驱动步进电机按设定的方向转动一个固定的角度,称为"步距角",它的旋转是以固定的角度一步一步运行的。它可以通过控制脉冲个数来控制角位移量,从而达到准确定位的目的;同时可以通过控制脉冲频率来控制电机转动的速度和加速度,从而达到调速的目的。

SmartEDA 实验箱上有 1 个四相步进电机,在跳线 JP4 短接的情况下依次控制 UL N2003 A(Pin:218),UL N2003B(Pin:217),UL N2003C(Pin:222),UL N2003D(Pin:219)通电就可以控制步进电机的正转或反转。

1. 单四拍工作方式。

四相反应式步进电机各相为 A,B,C,D。如果换相方式为 A→B→C→D→A…则电流切换四次即换相四次时,磁场就会旋转一周,同时转子转动一个齿距。所谓"单"是指每次对一相通电;"四拍"是指换相四次磁场旋转一周,转子转动一个齿距。

图 3-57 所示电路即为控制步进电机进行单四拍工作的电路。

电路中用 0.5 Hz 频率信号控制电机的工作模式变化,也就是每 2 s 改变一次工作模式,分别为 1(等待)、C(顺时针转动)、r(置位)、A(逆时针转动)。两个 D 触发器组成的计数电路可以实现此功能。电机的转动使用 10 Hz 脉冲,也就是一秒钟前进 10 步。电机工作模式由数码管显示出来。

分别记录电机顺时针或者逆时针转动 2 s 所转动的角度,多次观察。可以按照表 3-11 的形式来记录数据,并进行分析。

2. 双四拍工作方式

在步进电机的控制中,如果每次都是两相通电,则电流切换四次磁场就会旋转一周,转子转动一个齿距。这就称为双四拍工作方式,在这个工作方式中通电顺序为

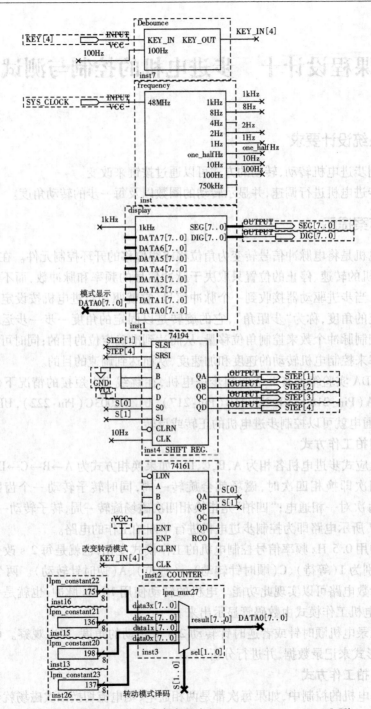

图 3-57　单四拍工作方式参考程序（Test_stepper_motor. bdf）

AB→BC→CD→DA→AB→…

图 3-58 所示电路即为控制步进电机进行双四拍工作的电路。

这个电路中用 0.5 Hz 频率信号控制电机的工作模式变化,分别为 1(等待)、C(顺时针转动)、r(置位)、A(逆时针转动)。电机的转动使用 10 Hz 脉冲,也就是一秒钟前进 10 步。

分别记录电机顺时针或者逆时针转动 2 s 所转动的角度,多次观察。计算一下每一步所转动的角度。可以按照表 3-11 的形式来记录数据,并进行分析。

3. 八拍工作方式

对四相反应式步进电机进行控制时,把单四拍和双四拍工作方式结合起来,就产生了八拍工作方式,通电的顺序为 A→AB→B→BC→C→CD→D→DA→A→…

图 3-59 所示电路即为控制步进电机进行八拍工作的电路。

分别记录电机顺时针或者逆时针转动 2 s 所转动的角度,多次观察。计算一下每一步所转动的角度。可以按照表 3-11 的形式来记录数据,并进行分析。

表 3-11　电机控制程序测试记录表

序号	电机运行方式	运转方向	运行时间	转动角度	步距角
1	单四拍	顺时针	12 s		
2	单四拍	顺时针	12 s		
3	单四拍	逆时针	12 s		
4	单四拍	逆时针	12 s		
5	双四拍	顺时针	12 s		
6	双四拍	顺时针	12 s		
7	双四拍	逆时针	12 s		
8	双四拍	逆时针	12 s		
9	八拍	顺时针	12 s		
10	八拍	顺时针	12 s		
11	八拍	逆时针	12 s		
12	八拍	逆时针	12 s		

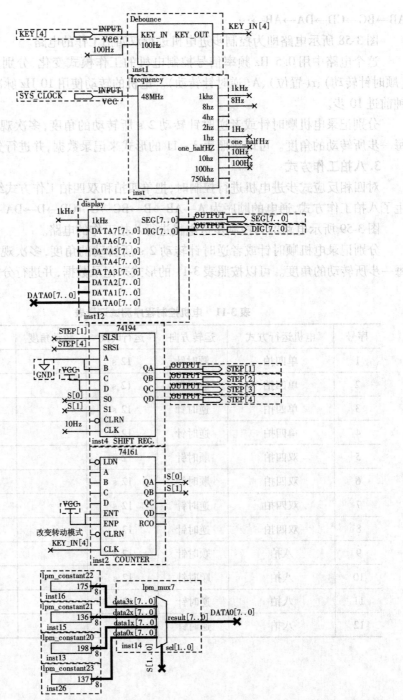

图 3-58 双四拍工作方式参考程序（Test _ stepper _ motor _ double _ 4. bdf）

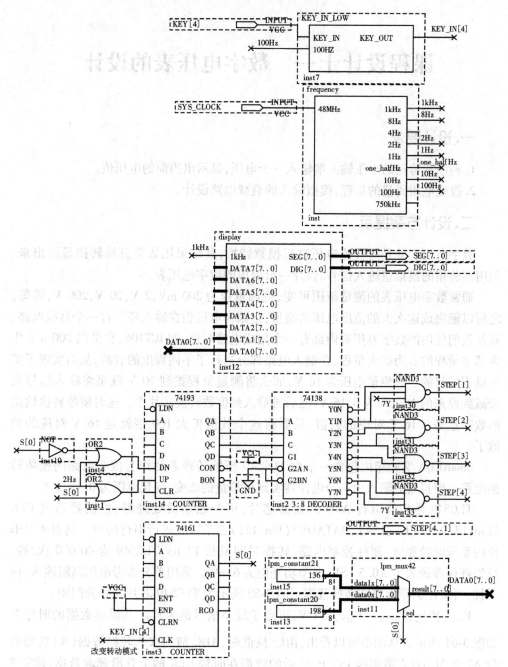

图 3-59　八拍工作方式参考程序（Test _ stepper _ motor _ 8. bdf）

课程设计十一　数字电压表的设计

一、设计要求

1. 利用实验箱的电压输入端输入一个电压,显示出当前的电压值。
2. 改变电压测量的量程,模拟输入的衰减电路设计。

二、设计方案提示

数字电压表就是对直流电压进行模数转换,其结果用数字直接转换显示出来。利用实验箱的模拟量输入信号,设计一台简单的数字电压表。

通常数字电压表的测量范围可变,例如量程为 200 mV,2 V,20 V,200 V,等等。之所以能完成这么大的范围电压的测量,是因为电压表在输入环节有一个衰减电路。通常我们使用的数字万用表内部有一个集成电路芯片,如 IC7106,它是以 200 mV 作为基本量程的。为扩大量程,在输入电路部分进行了不同程度的衰减,从而实现了扩大量程的目的。如测量电压为 16 V,那么将测量量程拨到 20 V 就是将输入信号先衰减到原来的 1% ,即为 0.16 V,然后再输入到模数转换芯片中。这时模数转换输出的数字量是 0.16 V 对应的数值,只要将这个数值扩大 100 倍就是 16 V 对应的数值了。

SmartEDA 实验箱内包含一个由 TLC549 模数转换芯片作为核心电路的模数转换电路。模拟量的输入由一个电位器实现模拟量的改变,变化范围为 0 ~ 2.5 V。

TLC549 是 8 位串行 A/D 转换器芯片,可与通用微处理器、控制器通过 CLK(Pin:132)、CS(Pin:134)、DATAOUT(Pin:131)三条口线进行串行接口。具有 4 MHz 片内系统时钟和软、硬件控制电路,转换时间最长 17 μs,TLC549 为 40 000 次/秒。总失调误差最大为 ±0.5 LSB,典型功耗值为 6 mW。采用差分参考电压高阻输入,抗干扰,可按比例量程校准转换范围。图 3-60 所示为 TLC549 芯片管脚分配图。

V_{REF-} 接地,$V_{REF+} - V_{REF-} \geqslant 1$ V,可用于较小信号的采样。其采集数据的时序图如图 3-61 所示。从图中可以看出,由 CS 拉低时,ADC 前一次的转换数据(A)的最高位 A7 立即出现在数据线 DO 上,之后的数据在时钟 CLK 的上升沿读取数据,读完 8 位数据后,ADC 开始转换这一次采样的信号,以便下一次读取。转换时片选信号要置高电平。设计操作时序时要注意,CS 拉低后到 CLOCK 第一个时钟到来的时间至

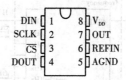

图 3-60 TLC549 芯片管脚分配图

少需要维持 1.4 μs，ADC 的转换时间不超过 17 μs，CLK 不能超过 1.1 MHz，其他参数请参考数据手册。

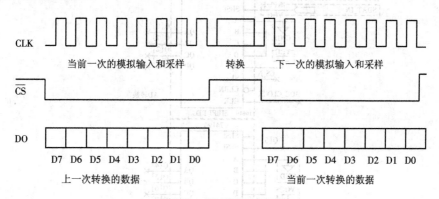

图 3-61 TLC549 时序图

图 3-62 是数字电压表设计框图。图 3-63 为数字电压表核心模块电路图。图 3-64 和图 3-65 为其内部模块电路。数码管显示的是转换后的相应的数字量的值。根据图 3-61 所示的 TLC549 时序图，采集电压信号使用了两个 79LS194 这个移位寄存器，完成 8 位数据的转换，如图 3-63 所示。

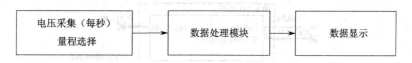

图 3-62 数字电压表设计框图

将 8 位数字量显示数转换为对应的电压数值，需要设计者自行完成。

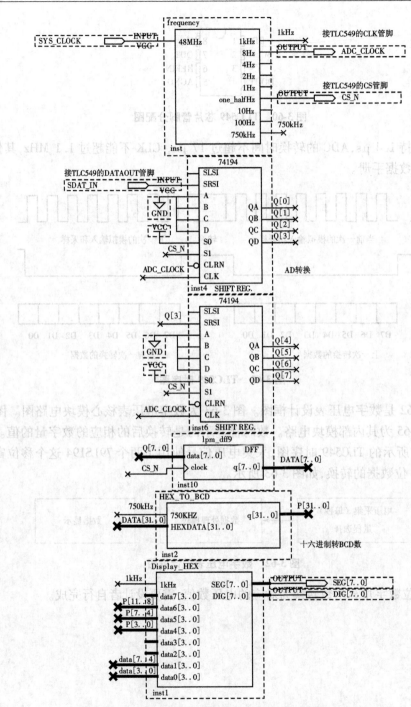

图 3-63　数字电压表核心模块电路图(TEST_ADC.bdf)

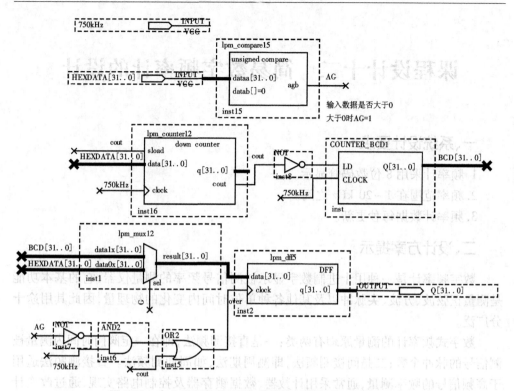

图 3-64　十六进制数转 BCD 数模块（HEX_To_BCD.bdf）

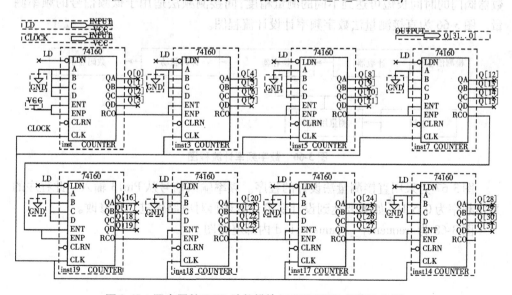

图 3-65　同步置数 BCD 计数模块（COUNTER_BCD1.bdf）

课程设计十二　简易数字频率计的设计

一、系统设计要求

1. 频率计采用 8 位数码管显示。
2. 频率范围在 1 ~ 20 kHz 之间。
3. 频率计数据每秒更新。

二、设计方案提示

数字频率计是一种用十进制数字显示被测信号频率的测量仪器,它的基本功能是测量正弦波、方波、尖脉冲以及其他各种单位时间内变化的物理量,因此其用途十分广泛。

数字式频率计的测量原理有两类:一是直接测频法,即在一定阀门时间内测量被测信号的脉冲个数;二是间接测频法,即测周期法,如周期测频法。直接测频法适用于高频信号的频率测量,通常采用计数器、数据锁存器及控制电路实现,通过改变计数器阀门的时间长短可达到不同的测量精度;间接测频法适用于低频信号的频率测量。图 3-66 为直接测量法数字频率计设计流程图。

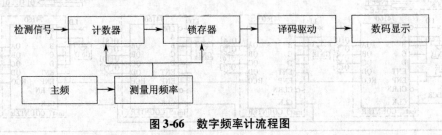

图3-66　数字频率计流程图

图 3-67 为采用直接测量法设计的程序。频率输入信号从 Pin13 输入。此程序的采样频率为 0.5 Hz,如果要达到设计要求读者还得对电路做进一步修改。

图 3-68 为 frequency _ counter _ bcd 内部电路图。

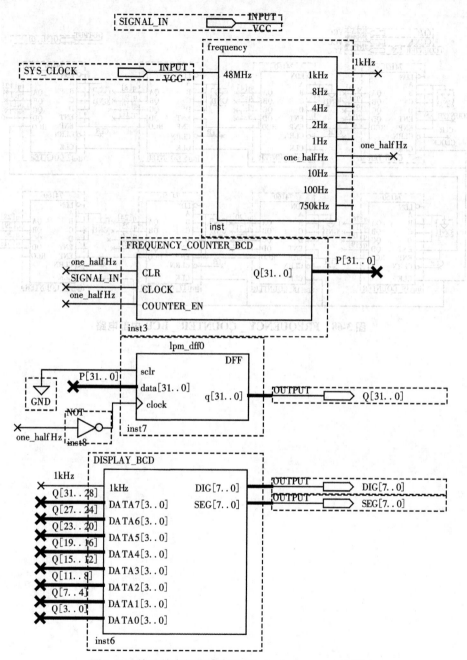

图 3-67 简易数字频率计电路(Test _ frequencyer. bdf)

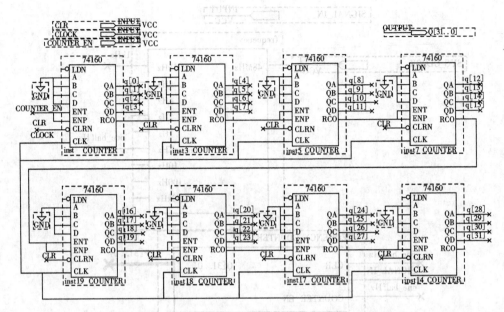

图 3-68 FREQUENCY _ COUNTER _ BCD 内部电路

课程设计十三 最大值检测电路的设计

一. 系统设计要求

1. 制作一批数据,并保存。
2. 找出这批数据的最大数,或者最小数,或者某个特殊的数。
3. 具有锁存和清零的功能。
4. 扩充功能:对数据进行滤波,即将最大数和最小数去掉,然后对当前数据求平均值。

二、设计方案提示

在数字电路系统中,经常会遇到在一批数据中找出最大、最小或者某个特殊的数据并要将这些数据显示出来的工作,这些工作人工处理非常麻烦,EDA 可以很容易地实现这个功能。

本设计任务可以利用 D 锁存器、比较器完成。

图 3-69 为最大值检测电路流程图,图中锁存可以参考 74374 模块完成,最大值锁存可以参考使用 74273 模块实现,比较模块可以直接调用宏模块 lpm _ compare,如

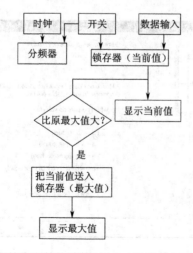

图 3-69 最大值检测电路设计流程图

图 3-70 至图 3-72 所示。它们的功能见表 3-12。图 3-73 为 lpm _ compare 模块的输出
参数选择,图 3-74 最大值检测参考程序,图 3-75 为 LPM _ ROM4 内部数据。

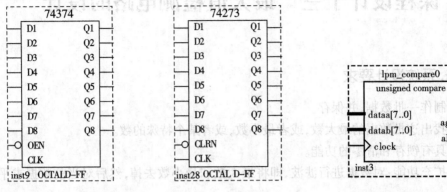

图 3-70　模块 74374 符号　　　图 3-71　模块 74273 符号　　　图 3-72　模块 lpm _ compare
　　　　　　　　　　　　　　　　　　　　　　　　　　　　　　　　　　　符号

表 3-12　模块 74273,74374,lpm _ compare 功能介绍

模　块	功　　　能
74273	带清零端八 D 触发器,当系统不工作时,输出显示为零
74LS374	带输出使能端的八 D 触发器,用来将键盘输入信号送到 74273 的输入端,其输入脉冲由开关键约束
lpm _ compare	比较模块,可以比较两个数据,其参数设定如图 3-69 所示

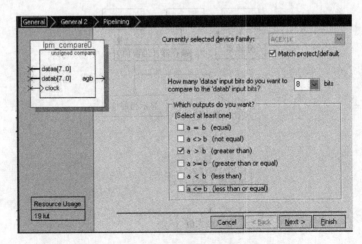

图 3-73　lpm _ compare 模块的输出参数选择

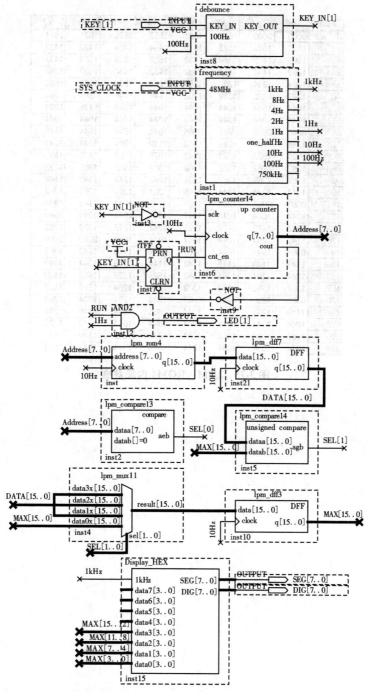

图 3-74 最大值检测参考程序 (Test _ MaxData. bdf)

Addr	+0	+1	+2	+3	+4	+5	+6	+7
0	0000	0000	1621	1621	1575	1575	1621	1621
8	1523	1523	1523	1575	1464	1464	1432	1432
16	1362	1432	1464	1432	1523	1523	1523	1432
24	1362	1432	1523	1362	1432	1464	1432	1362
32	1284	1284	1284	1284	1284	1284	1523	1523
40	1242	1242	1362	1362	1149	1149	1284	1284
48	1044	1044	1044	1044	1044	1044	1149	1284
56	1044	1044	1044	1044	1044	1044	1044	1044
64	0865	0865	0865	0865	1044	1044	1044	1149
72	1284	1284	1284	1362	1149	1284	1044	1044
80	1523	1523	1523	1643	1575	1523	1432	1523
88	1362	1362	1362	1362	1362	1362	1362	1362
96	1362	1362	1362	1432	1242	1242	1149	1149
104	1044	1044	1044	1149	1284	1284	1362	1362
112	0865	0865	1284	1284	1149	1044	1149	1284
120	1044	1044	1044	1044	1044	1044	1044	1044
128	1432	1432	1432	1523	1242	1242	1362	1362
136	1149	1284	1044	1044	1044	1044	2000	2000
144	0865	1044	1044	0865	1044	1149	1242	1362
152	1149	1149	1149	1149	1149	1149	1044	1149
160	1284	1284	1284	1362	1523	1523	1432	1432
168	1362	1362	1432	1362	1284	1284	1575	1523
176	0865	0865	0865	0865	1284	1284	1284	1284
184	1149	1284	1149	1044	0865	1044	1149	1284
192	1044	1044	1044	1044	1044	1044	1432	1523
200	1362	1432	1362	1284	1242	1242	1149	1149
208	1044	1044	1044	1044	1044	1044	1044	1044

图 3-75　LPM _ ROM4 内部数据

课程设计十四　出租车计价器的设计

一、设计要求

当我们坐出租车时，只要车一开动，随着行驶里程的增加就会看到车前面的数字计价表开始计费，显示出当前应该收的车费。当出租车需要在某地等候时，司机只有按一下"计时"按键，每等候一定时间，才会增加一个等候费用，汽车行驶后停止计算等候费，继续按照里程计费。

1. 能够实现计费的功能。
2. 显示汽车行驶里程。
3. 显示等候时间。
4. 显示总费用。
5. 计费依据：起步价＋里程×单价＋返程费＋等候费用；其中小于 3 km 只收起步价，返程费按大于 10 km 加收 50% 计算，等候费用按每等候 5 min 加收 1 km 乘车费计算。
6. 汽车的启动、停止可以借助实验箱中的直流电机来实现，直流电机的控制方法参照"课程设计九　直流电机的控制与测试"。

二、设计方案提示

由传感器获得"行驶里程信号"，本设计中可以用电机测试信号来代替。每收到一个测试信号代表行驶了一段距离。汽车启动后，计费系统开始计费，计费包括：第一，初始时刻首先收取起始价，起始价包括一个固定里程或者折合成这个里程的等候时间；第二，超过初始里程数开始按照公里数计费，通常在 10 km 之内一个标准，10 km 以上要加收 50% 的返程费；第三，在行驶过程中如果行驶速度低于一定数值要加收等候费；第四，在某一地点需要停车等候乘客办事按等候键，按照等候时间的长短收取等候费用，因此在做设计中需要按照这几个不同的模块分别设计。图 3-76 为出租车计价器系统框图。图 3-77 为出租车计价器设计参考流程图。

图 3-76　出租车计价器系统框图

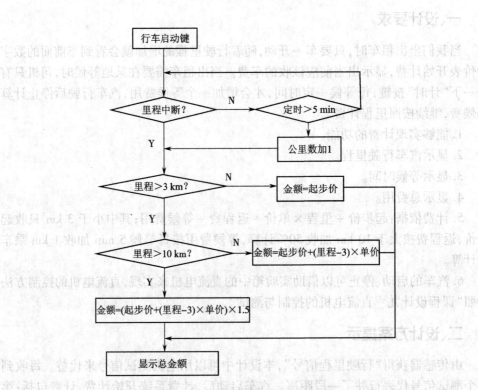

图 3-77　出租车计价器设计流程图

课程设计十五　智能洗衣机控制器的设计

一、系统设计要求

设计一个全自动洗衣机控制电路。

1. 洗衣机具有启动/暂停功能键。

2. 标准洗涤过程:洗涤→脱水→漂洗→脱水→漂洗→脱水。

3. 快速洗涤过程:洗涤→脱水→漂洗→脱水。

4. 单独脱水过程。

5. 每个洗涤过程都要显示剩余时间。

6. 用实验箱的直流电机模拟洗衣机的电机。

二、设计方案提示

洗衣机的工作程序是洗涤→脱水→漂洗→脱水→漂洗→脱水,因此洗涤、漂洗、脱水是基本的三个过程。

洗涤过程:放好待洗物,启动开关,进水阀通电,向洗衣机供水,当供水达到预定水位时,水位开关接通,进水阀断电关闭,停止供水。洗涤电动机接通电源,带动波轮(或筒)旋转,产生各种形式的水流搅动衣物进行洗涤。通过电动不停地正转、停、反转、反复循环,形成洗涤水对洗涤物产生强烈的翻滚作用。同时,衣物之间、衣物与四周筒壁之间产生相互摩擦力和撞击力,以达到洗涤衣物的目的。

漂洗过程:漂洗的目的在于清除衣物上的洗涤液,因此漂洗过程与洗涤过程的电器动作是完全相同的。

脱水过程:洗涤或漂洗后,需要对衣物进行脱水以便晾干。

图 3-78 为洗衣机控制流程图。

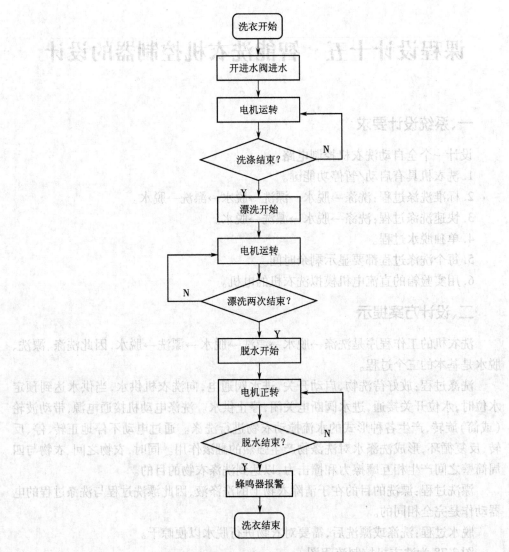

图 3-78　洗衣机控制流程图

课程设计十六 电梯控制系统的设计

一、设计要求

设计一个三层楼房的电梯控制器,使其按电梯的调度算法控制电梯的运行。

1. 每层电梯入口处有上下请求按钮,电梯内设有乘客到达楼层的停站请求开关。

2. 设有电梯所处位置指示装置以及电梯运行模式(上升或下降)指示。

3. 电梯到达停站请求楼层后,等待 1 s 后电梯开门,开门指示灯亮,开门 4 s 后电梯门关闭(开门指示灯灭)。

4. 能记忆电梯内外的所有请求信号,并按照电梯运行规则次序响应,每个信号保留至执行后消除。

5. 电梯初始状态为 1 层开门。

6. 具有超载报警和故障报警的功能。

二、设计方案提示

根据项目设计要求,对电梯的控制采用方向优先控制方式,即电梯运行到某楼层时首先考虑前方是否有请求,有则继续前进,无则停止;然后检测后方是否有请求,有则转向运行,无则维持停止状态。图 3-79 是电梯自动控制系统框图。

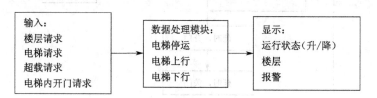

图 3-79 电梯控制系统框图

三层电梯,第一层和第三层分别只有上升键和下降键,第二层包含上升和下降两个键,电梯内部包含有 1,2,3 楼层选择键和开门键,关门为自动完成。实验箱上的指示灯可以作为电梯开关门、上升与下降指示,数码管用来显示电梯所在的层数指示。

编程过程中可以控制实验箱上的直流电机正反转来模仿电梯的上升和下降。由于实验箱上的按键有限,可以采用电机转动圈数控制每层的运行时间。

图 3-80 为电梯主控电路参考流程图。

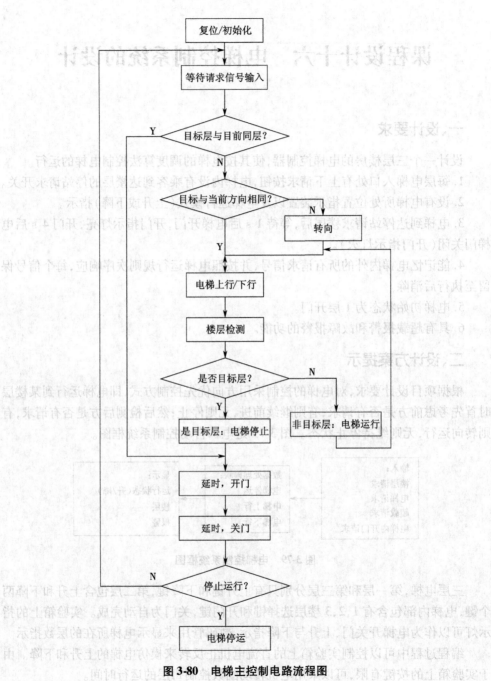

图 3-80 电梯主控制电路流程图

课程设计十七　脉冲电话按键显示器的设计

一、系统设计要求

设计一个准确反应按键数字,具有显示电话按键的显示器,该电话显示器要求具有重拨的功能,当按下重拨键时,能够显示最后一次输入的电话号码。

1. 设计一个具有 8 位显示的电话按键显示器,电话号码的位数不受显示器的位数限制。

2. 能够准确地反应按键的数字。

3. 显示器显示从低位向高位前移。

4. 设置一个"重拨"键,按下此键,能显示最后一次输入的电话号码。

5. 挂机 2 s 后熄灭显示器的显示数据。

二、设计方案提示

本项目设计的核心任务就是接收来自键盘的输入,然后移位、锁存,显示。图 3-81 为脉冲电话按键显示电路控制框图。

图 3-81　脉冲电话按键显示电路控制框图

目前电话号码分为市内固话、国内长途、国际长途以及市内手机和国内手机号码等几个类型。以天津市为例,市内固定电话,8 位数字;国内长途包括固话和手机,都是以 0 开始;市内手机以 1 开始,还有以 800×××××××,400×××××××以及 9×××的服务电话,因此保存已经输入的电话号码要有足够的地址,应不少于 20 个。

图 3-82 为脉冲电话按键显示电路编程参考流程图。图 3-82 中的核心模块中移位锁存是最为核心的内容,实现移位锁存可以采用 Quartus Ⅱ 中的可参数化模块 lpm _ SHIFTREG 来实现,其使用方法如图 3-83 至图 3-85 所示。

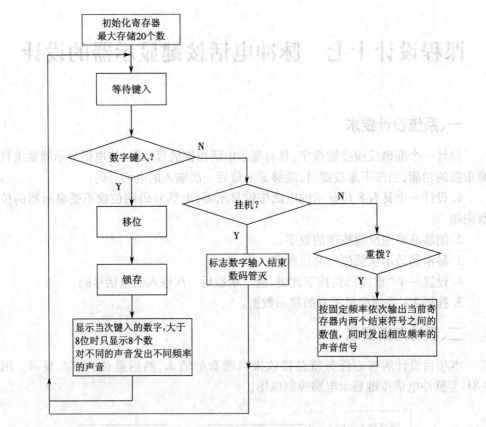

图 3-82 脉冲电话按键显示电路编程流程图

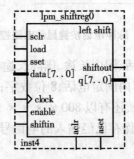

图 3-83 LPM _ SHIFTREG 模块

目前电话机分为脉冲拨号方式及音频拨号方式，以区分电话为脉冲电话机和音频电话机。脉冲号码信息以脉冲个数为标识，由脉冲的个数代表不同的数值，间隔长短区别前后相邻，脉冲的个数从0到9为：电话拨1个脉冲，拨2个2个脉冲，依次类推，拨0为10个脉冲，以此×9个××××××脉冲代表9，以10个脉冲代表0，脉冲数据需要经过处理识别的个数为20个。

图3-82为脉冲电话的流程图，本实验要完成的内容如图3-82中的模块C，即其中按键识别及脉冲计数的内容，完成移位寄存器 Quartus II 中的可参数化模块 lpm _ SHIFTREG 来完成，其使用方法见图3-83至图3-85所示。

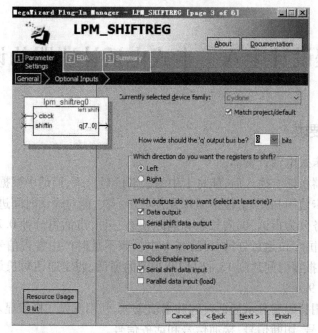

图 3-84　lpm _ SHIFTREG 设计移位方向，所需要的输入输出量

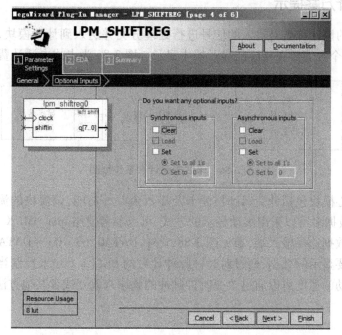

图 3-85　lpm _ SHIFTREG 选择同步还是异步输出信号

课程设计十八　卡式电话计费器的设计

一、设计要求

设计一个卡式电话计费器。

1. 该计费器在话卡插入后,能将卡中的余额读显出来,通话中根据话务种类计话费并将话费从卡值中扣除,卡值余额每分钟更新一次,能对通话时间进行计时。

2. 假定话务分为市话、国内长途和国际长途三种,市话每分钟0.2元、国内长途每分钟0.4元,国际长途每分钟1元,当卡中余额不足时产生警告信号,扬声器发出警告的声音,当报警时间达到15 s时切断当前的通话,假定通话时长最长59 min,卡内余额最多99.9元。

3. 要求利用数码管显示通话时间和卡值余额,利用发光二极管显示读卡信号、写卡信号、报警信号、切断信号、接通信号和话务信号。

二、设计方案提示

本项目的设计首先对输入的信号进行处理分类并送入到计费模块,实现计费功能,计算的各个数值要在相应的显示器中显示。图3-86为卡式电话计费系统框图。

图3-86　卡式电话计费系统框图

计费核心模块包括计费、计时、读卡及显示余额等功能,该模块的流程框图见图3-87。由于数据多可以采用滚动显示的方式,可以参考使用lpm _ MUX模块,使用计时数据作为数据选择输入端,参见图3-88,图中DATA0[63..0] ～ DATA3[63..0]分别是四组需要显示的数据,通过对时钟脉冲计数的SEL[1..0]来控制当前显示的数据。数据滚动的速度可以通过改变时钟脉冲的频率来改变或者其他方法来改变。

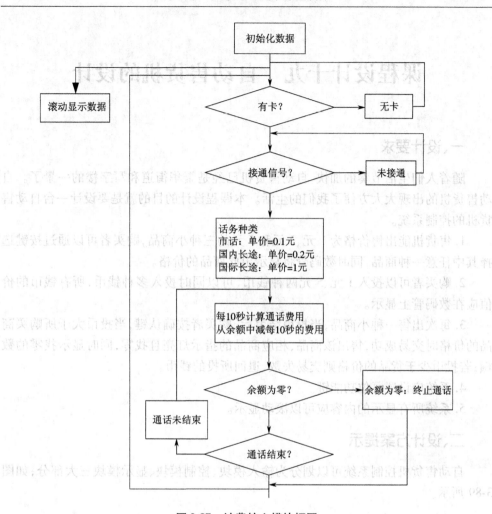

图 3-87 计费核心模块框图

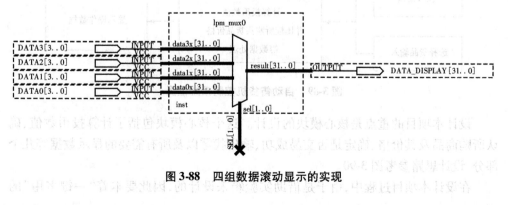

图 3-88 四组数据滚动显示的实现

课程设计十九 自动售货机的设计

一、设计要求

随着人们生活节奏的加快,自动售货机已经是繁华街道和写字楼的一景了。自动售货机的出现大大方便了我们的生活。本课程设计的目的就是要设计一台自动售货机的控制系统。

1.售货机能出售价格为1元、2元和5元的三种小商品,购买者可以通过按键选择其中任意一种商品,同时数码管将显示出此商品的价格。

2.购买者可以投入1元、5元两种钱币,可以同时投入多种钱币,所有钱币的价值应在数码管上显示。

3.每次出售一种小商品,当投币结束后,购买者按确认键,当投币大于所购买商品的价格时交易成功,售出该商品,相应商品的指示灯亮且找零,同时显示找零的数额;若投币少于货品的价格则交易失败,退回所投的钱币。

4.系统应设置复位功能键。

5.系统所有显示的内容应可以滚动显示。

二、设计方案提示

自动售货机控制系统可以划分为输入模块、控制模块、显示模块三大部分,如图3-89所示。

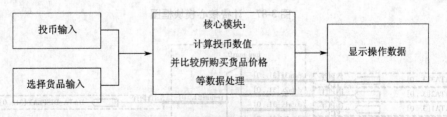

图3-89 自动售货机控制系统框图

设计本项目的重点是核心模块的设计。这个核心模块包括了计算投币数值、确认所购商品及其价格、确定是否交易成功、输出找零以及所有需要的显示数据等几个部分,设计思路参考图3-90。

在设计本项目过程中,由于是借助实验箱来设计的,因此要本着"一键多用"的

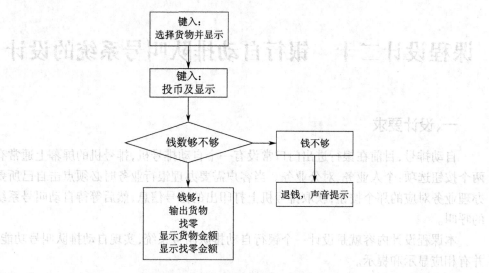

图3-90 自动售货机编程框图

原则设计电路。例如,顾客选择商品种类为三种,那么可以采用循环键入挑选商品种类的方法,即反复按"商品"键使之在 1～3 之间循环,最后用"确认"键确认。同理,输入货币也可采用此方法。

在电路的设计过程中,因为需要做各种比较,因此可以使用 lpm _ COMPARE 模块(使用方法参看第二章"实验九 序列码的检测器的实现"),常数的设定使用 lpm _CONSTANT(使用方法参看第二章"实验六 数码管的显示")。

课程设计二十　银行自动排队叫号系统的设计

一、设计要求

自动排号，目前在银行进出门口常设有一个自动排号机，排号机的屏幕上通常有两个按钮选项：个人业务、对公业务。当客户需要办理银行业务时必须点击自己所要办理业务对应的那个按钮，获取排号机上打印出的排号信息，然后等待自动叫号系统的呼叫。

本课程设计内容就是设计一个银行自动排队叫号系统，实现自动排队叫号功能，并有相应显示和提示。

1. 自动排号：在银行进口设有自动排号机，客户根据自己需办理的业务，点击自动排号机屏幕上的按键，进行自动排号。

2. 自动叫号：在银行柜台设有两个窗口办理业务，每个窗口办理不同的业务，自动叫号的规则是每当一个业务办理完毕后呼叫下一个排号的客户，并有声音提示。

二、设计方案提示

银行自动排号系统可以划分为输入模块、排号控制模块、显示模块三大部分，如图 3-91 所示。

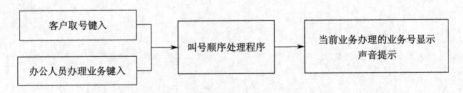

图3-91　银行自动排号叫号系统框图

输入模块即接收键入信号，排号模块是根据客户的业务类型选择信号和选号信号产生排队信号，显示客户当前的号码以及排队等候人数（相同业务）。

设计这个电路需要客户排队，因此可以利用 Quartus Ⅱ 中的一个模块：lpm _ FIFO（先入先出模块），输入方法如图 3-92 至图 3-96 所示。

FIFO 主要有以下几个参数：

（1）宽度（wide）：FIFO 一次读写操作的数据位数；

（2）深度（deep）：FIFO 最多能够存储的数据个数；

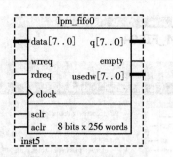

图 3-92 LPM _ FIFO 模块

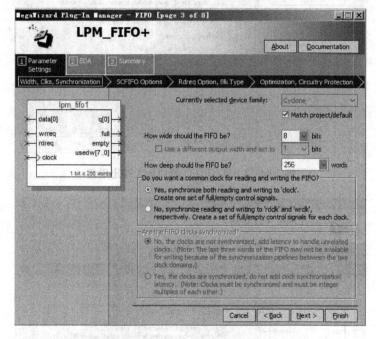

图 3-93 LPM _ FIFO 模块数据宽度和深度设定

（3）写参数使能（wrreg）：有效时，将输入端数据写入 FIFO 的队尾；

（4）读参数使能（rdreg）：有效时，将 FIFO 的队头数据从读出端读出；

（5）数据输入（data[ ]）：数据输入端；

（6）数据输出（q[ ]）：数据输出端；

（7）空标志（empty）：有效时，表示 FIFO 为空，以阻止 FIFO 的读操作继续从
FIFO 中读出数据而造成无效数据的读出；

（8）满标志（Full）：该信号有效时，表示 FIFO 已满，以阻止 FIFO 的写操作继续向
FIFO 中写数据而造成数据溢出（overflow）；

（9）统计信号：该信号指示 FIFO 当前的元素个数。

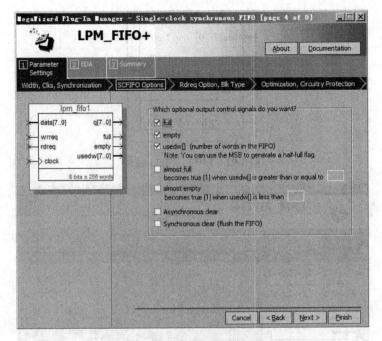

图 3-94 LPM＿FIFO 模块输入输出设定

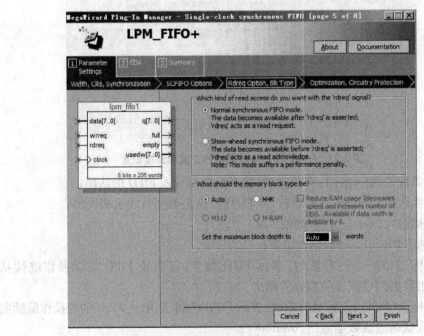

图 3-95 LPM＿FIFO 模块读取数据类型设定

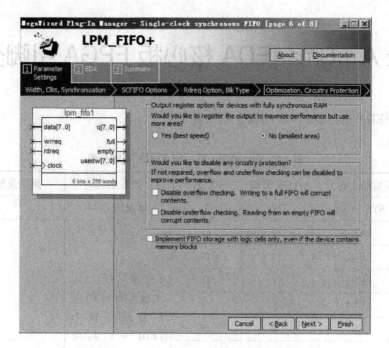

图 3-96 lpm _ FIFO 模块输出寄存器设置

附录 A SmartEDA 核心板 FPGA 引脚分配

SmartEDA 核心版 FPGA 引脚分配见表 A1。

表 A1 SmartEDA 核心板 FPGA 引脚分配

序号	实验箱上标号	FPGA 管脚	I/O 方向	外设名称	跳线及复用
1	SYS＿CLK	28	I	48 MHz 时钟	
2	LED1	50	O		
3	LED2	53	O		
4	LED3	54	O	8 个独立 LED 灯，主板上的 LED1－8 与核心板上 LED1－8 共用管脚	
5	LED4	55	O		
6	LED5	176	O		
7	LED6	47	O		
8	LED7	48	O		
9	LED8	49	O		
10	KEY1	121	I		需要短接主板上 JP6 的对应跳线
11	KEY2	122	I		
12	KEY3	123	I		
13	KEY4	124	I	独立按键，核心板上 KEY1－4 与主板上 KEY1－4 共用	
14	KEY5	143	I		
15	KEY6	141	I		
16	KEY7	158	I		
17	KEY8	156	I		
18	BEEP	175	O	蜂鸣器	
19	LCD＿LIGHT	174	O	液晶显示控制	
20	LCD＿EN	173	O		

表 A1(续 1)

序号	实验箱上标号	FPGA 管脚	I/O 方向	外设名称	跳线及复用
21	DcMotorSpeed	140	O		
22	DcMotorA	139	O	直流电机	注意短接 JP1 电源跳线
23	DcMotorB	138	I		
24	8563 _ INT	137	I	8563	
25	LM75 _ OS	136	I	LM75	
26	SEG0	169	O		
27	SEG1	170	O		
28	SEG2	167	O		
29	SEG3	168	O	七段数码管	
30	SEG4	165	O	段码	—
31	SEG5	166	O		
32	SEG6	163	O		
33	SEG7	164	O		
34	DIG0	160	O		
35	DIG1	159	O		
36	DIG2	162	O		
37	DIG3	161	O	七段数码管	
38	DIG4	215	O	位码	
39	DIG5	216	O		
40	DIG6	213	O		
41	DIG7	214	O		
42	UART _ RXD	135	I	232 串口	—
43	UART _ TXD	133	O		
44	AD _ nCS	134	O		
45	AD _ DAT	131	I	ADC	—
46	AD _ CLK	132	O		

表 A1（续 2）

序号	实验箱上标号	FPGA 管脚	I/O 方向	外设名称	跳线及复用
47	DAC _ LDAC	125	O		
48	DAC _ LOAD	126	O	DAC	—
49	DAC _ DATA	127	O		
50	DAC _ CLK	128	O		
51	ULN2003A	218	O		
52	ULN2003B	217	O	步进电机	注意短接 JP4 电源跳线
53	ULN2003C	222	O		
54	ULN2003D	219	O		
55	IR _ CLK	203	O		
56	IR _ TX	224	O	红外收发	通过 JP2 跳线来选择频率
57	IR _ RX	223	I		
58	RS485 _ DI	202	O		
59	RS485 _ RE _ DE	207	O	485 接口	—
60	485 _ RO	206	I		
61	USBVIN	226	I		
62	USB _ SUSPD	227	IO		
63	USB _ nRST	233	O	USB 接口	—
64	USB _ nINT	228	I		
65	USB _ nCS	225	O		
66	SD _ WP		I		
67	SD _ INSERT		I		
68	SPI _ MISO		I		要通过连接线从主板上的 JP6 或核心板上的 PACK 复用
69	SPI _ CLK	定	O	SD/MMC 卡接口	
70	SPI _ MOSI		O		
71	SD _ nCS		O		
72	SD _ POWER		O		

表 **A1**(续 3)

序号	实验箱上标号	FPGA 管脚	I/O 方向	外设名称	跳线及复用
73	VGA _ VSYNC		O		
74	VGA _ 1SYNC		O		
75	VGA _ R0		O		
76	VGA _ R1		O		要通过连接线从
77	VGA _ R2	定	O	VGA 接口	主板上的 JP6 或
78	VGA _ G0		O		核心板上的 PACK
79	VGA _ G1		O		复用
80	VGA _ G2		O		
81	VGA _ B0		O		
82	VGA _ B1		O		
83	LATTICE _ STR		O	LED 点阵接口	要通过连接线从
84	LATTICE _ SI	待定	O	注意短接 JP5	主板上的 JP6 或
85	LATTICE _ SCK		O	电源跳线	核心板上的 PACK 复用
86	MS _ DATA		IO	鼠标接口	要通过连接线从
87	MS _ CLK	待定	IO		主板上的 JP6 或
88	KB _ DATA		IO	键盘接口	核心板上的 PACK
89	KB _ CLK		IO		复用
90	RTL8019 _ INT		I		要通过连接线从
91	RTL8019 _ nCS	待定	O	以太网接口	主板上的 JP6 或 核心板上的 PACK
92	RTL8019 _ RST		O		复用
93	P _ IO1				
94	P _ IO2				要通过连接线从
95	P _ IO3		根据使用	主板上 PACK1	主板上的 JP6 或
96	P _ IO4	待定	来定义	用户 IO 口	核心板上的 PACK
97	P _ IO5				复用
98	P _ IO6				
99	EXT _ nCS		O	PACK1 片选	

表 A1（续 4）

AD _ DA PACK引脚分配表					
序号	电路图上标号	FPGA 管脚号	I/O 方向	外设名称	跳线及复用
1	AD _ CLK	237	O		
2	AD _ nOE	11	O		
3	AD _ D7	236			
4	AD _ D6	238			
5	AD _ D5	240			
6	AD _ D4	2	I	AD/DA PACK 板 AD	—
7	AD _ D3	4			
8	AD _ D2	5			
9	AD _ D1	7			
10	AD _ D0	12			
11	DA1 _ D0	45			
12	DA1 _ D1	43			
13	DA1 _ D2	41			
14	DA1 _ D3	23			
15	DA1 _ D4	20			
16	DA1 _ D5	18	O	AD/DA PACK 板 DA1	—
17	DA1 _ D6	16			
18	DA1 _ D7	14			
19	DA1 _ D8	13			
20	DA1 _ D9	46			
21	DA1 _ MODE	8	O		
22	DA _ CLK	38	O		

表 **A1**(续 5)

序号	实验箱上标号	FPGA 管脚	I/O 方向	外设名称	跳线及复用
23	DA2 _ MODE	6	O		
24	DA2 _ D0	3			
25	DA2 _ D1	1			
26	DA2 _ D2	239			
27	DA2 _ D3	15			
28	DA2 _ D4	17	O	AD/DA PACK 板 DA0	—
29	DA2 _ D5	19			
30	DA2 _ D6	21			
31	DA2 _ D7	39			
32	DA2 _ D8	42			
33	DA2 _ D9	44			

附录 B SmartEDA 实验箱电路

1. 指示灯电路

指示灯电路如图 B1 所示。

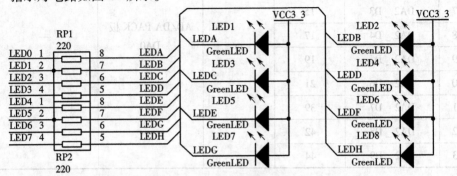

图 B1 指示灯电路

指示灯对应芯片管脚见表 B1。

表 B1 指示灯对应芯片管脚

LED1	LED2	LED3	LED4	LED5	LED6	LED7	LED8
50	53	54	55	176	47	48	49

2. 蜂鸣器电路

蜂鸣器电路如图 B2 所示。

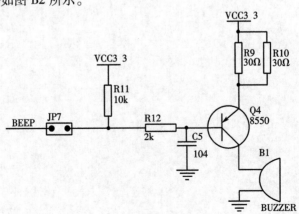

图 B2 蜂鸣器电路

蜂鸣器对应芯片管脚为 175。

3. 七段数码管电路

七段数码管电路如图 B3 所示。

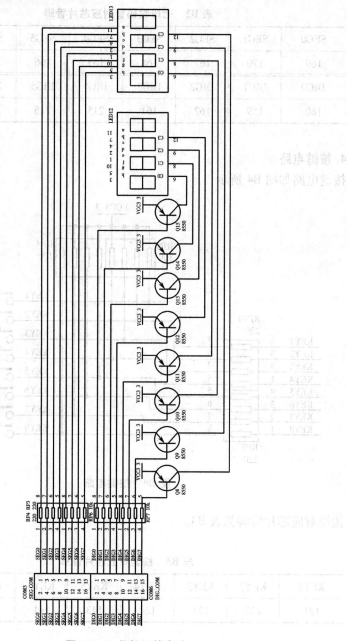

图 B3　七段数码管电路

七段数码管对应芯片管脚见表 B2。

表 B2　七段数码管对应芯片管脚

SEG0	SEG1	SEG2	SEG3	SEG4	SEG5	SEG6	SEG7
169	170	167	168	165	166	163	164
DIG0	DIG1	DIG2	DIG3	DIG4	DIG5	DIG6	DIG7
160	159	162	161	215	216	213	214

4. 按键电路

按键电路如图 B4 所示。

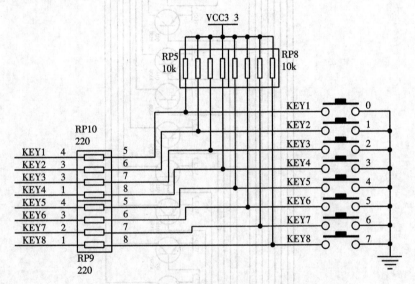

图 B4　按键电路

按键对应芯片管脚见表 B3。

表 B3　按键对应芯片管脚

KEY1	KEY2	KEY3	KEY4	KEY5	KEY6	KEY7	KEY8
121	122	123	124	143	141	158	156

5. 直流电机电路

直流电机电路如图 B5 所示。

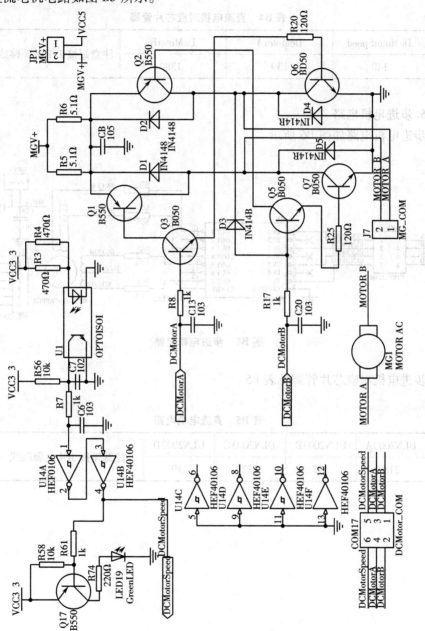

图 B5 直流电机电路

直流电机对应芯片管脚见表 B4。

表 B4　直流电机对应芯片管脚

DcMotorSpeed	DcMotorA	DcMotorB	
140	139	138	注意短接 JP1 电源跳线

6. 步进电机电路

步进电机电路如图 B6 所示。

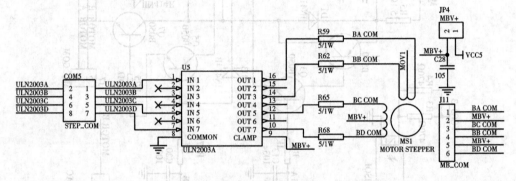

图 B6　步进电机电路

步进电机对应芯片管脚见表 B5。

表 B5　直流电机电路

ULN2003A	ULN2003B	ULN2003C	ULN2003D	
218	217	222	219	注意短接 JP4 电源跳线

7. 核心板时钟电路

核心板时钟电路如图 B7 所示。

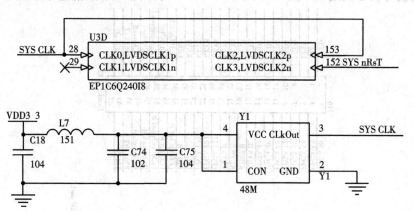

图 B7　核心板时钟电路

核心板时钟为 48 MHz,对应芯片管脚为 28。

8. 数字温度传感器电路

数字温度传感器电路如图 B8 所示。

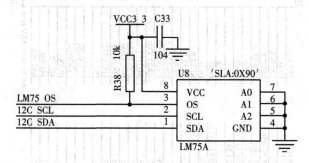

图 B8　数字温度传感器电路

9. 主板与核心板接口

主板与核心板接口如图 B9 所示。

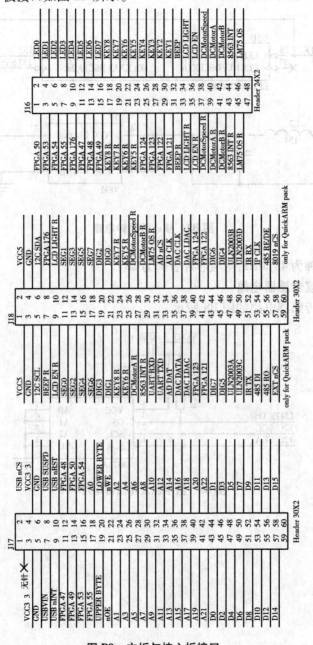

图 B9　主板与核心板接口

10. 主板上的跳线

主板上的跳线见表 B6。

表 B6 主板上的跳线

序号	跳线器标号	功能	区域
1	JP1	直流电机	B4
2	JP2	红外发射时钟选择	D3
3	JP3	RS485 120 Ω 选择	D2
4	JP4	步进电机电源	C6
5	JP5	点阵 LED 电源	A3
6	JP6	将现有外设断开连线去控制其他外设	B2
7	JP7	蜂鸣器控制	A6

附录 C　Quartus Ⅱ 常用模块

Quartus Ⅱ 常用模块见表 C1。

表 C1　Quartus Ⅱ 常用模块

模块类型	模块名称	功　能
门单元模块	lpm _ and	参数化与门
	lpm _ bustri	参数化三态缓冲器
	lpm _ clShift	参数化组合逻辑移位器
	lpm _ constant	参数化常数产生器
	lpm _ decode	参数化译码器
	lpm _ inv	参数化反向器
	lpm _ or	参数化或门
	lpm _ xor	参数化异或门
算术运算模块	lpm _ add _ sub	参数化的加/减法器
	8fadd	8 位全加器
	8faddb	8 位全加器
	7480	门控全加器
	7482	2 位二进制全加器
	7483	带快速进位的 4 位二进制全加器
	74183	双进位存储全加器
	74283	带快速进位的 4 位全加器
	74385	带清零端的 4 位加法器/减法器

表 **C-1**(续 1)

模块类型	模块名称	功　能
乘法器	lpm _ mult	参数化乘法器
	mult2	2 位带符号数乘法器
	mult24	2×4 位并行二进制乘法器
	mult4	4 位并行二进制乘法器
	mult4b	4 位并行二进制乘法器
	tmult4	4×4 位并行二进制乘法器
	7497	同步 6 位速率乘法器
	74261	2 位并行二进制乘法器
	74284	4×4 位并行二进制乘法器(输出结果的最高 4 位)
	74285	4×4 位并行二进制乘法器(输出结果的最低 4 位)
除法器	lpm _ divide	参数化除法器
	divide	
绝对值运算	lpm _ abs	参数化绝对值运算
数值比较器	lpm _ compare	参数化比较器
	8mcomp	8 位数值比较器
	8mcompb	8 位数值比较器
	7485	4 位数值比较器
	74518	8 位恒等比较器
	74518b	8 位恒等比较器
	74684	8 位数值/恒等比较器
	74686	8 位数值/恒等比较器
	74688	8 位恒等比较器
编码器	74147	10 线 – 3 线 BCD 编码器
	74148	8 线 – 3 线 8 进制编码器
	74384	带三态输出的 8 线 – 3 线优先权编码器

表 **C1**（续 2）

模块类型	模块名称	功　能
译码器	lpm _ decode	参数化译码器
	16dmux	4 位二进制 – 16 线译码器
	16ndmux	4 位二进制 – 16 线译码器
	7442	1 线 – 10 线 BCD – 10 进制译码器
	7443	余 3 码 – 10 进制译码器
	7444	余 3 格雷码 – 10 进制译码器
	7445	BCD 码 – 10 进制译码器
	7446	BCD 码 – 7 段译码器
	7447	BCD 码 – 7 段译码器
	7448	BCD 码 – 7 段译码器
	7449	BCD 码 – 7 段译码器
	74137	带地址锁存的 3 线 – 8 线译码器
	74138	3 线 – 8 线译码器
	74139	双 2 线 – 4 线译码器
	74145	BCD 码 – 10 进制译码器
	74154	4 线 – 16 线译码器
	74155	双 2 线 – 4 线译码器/多路输出选择器
	74156	双 2 线 – 4 线译码器/多路输出选择器
	74246	BCD 码 – 7 段译码器
	74247	BCD 码 – 7 段译码器
	74248	BCD 码 – 7 段译码器
	74445	BCD 码 – 10 进制译码器

表 **C1**(续3)

模块类型	模块名称	功　能
多路选择器	lpm _ mux	参数化多路选择器
	mux	多路选择器
	busmux	参数化总线选择器
	20mux	2 线 – 1 线多路选择器
	160mux	16 线 – 1 线多路选择器
	2X8mux	8 位总线的 2 线 – 1 线多路选择器
	80mux	8 线 – 1 线多路选择器
	74151	8 线 – 1 线多路选择器
	74151b	8 线 – 1 线多路选择器
	74153	双 4 线 – 1 线多路选择器
	74157	四 2 线 – 1 线多路选择器
	74158	带反相输出的四 2 线 – 1 线多路选择器
	74251	带三态输出的 8 线 – 1 线数据选择器
	74253	带三态输出的双 4 线 – 1 线数据选择器
	74257	带三态输出的四 2 线 – 1 线多路选择器
	74258	带三态反相输出的四 2 线 – 1 线多路选择器
	74298	带存储功能的四 2 输入多路选择器
	74352	带反相输出的双 4 线 – 1 线数据选择器/多路选择器
	74353	带三态反相输出的双 4 线 – 1 线数据选择器/多路选择器
	74354	带三态输出的 8 线 – 1 线数据选择器/多路选择器
	74356	带三态输出的 8 线 – 1 线数据选择器/多路选择器
	74398	带存储功能的四 2 输入多路选择器
	74399	带存储功能的四 2 输入多路选择器

表 C1(续 4)

模块类型	模块名称	功　　能
	lpm_clShift	参数化组合逻辑移位器
	lpm_s1itreg	参数化移位寄存器
	barrelSt	8 位桶形移位器
	barrlStb	8 位桶形移位器
	7491	串入串出移位寄存器
	7494	带异步预置和异步清零端的 4 位移位寄存器
	7495	4 位并行移位寄存器
	7496	5 位移位寄存器
	7499	带 JK 串入串出端的 4 位移位寄存器
	74164	串入并出移位寄存器
	74164b	串入并出移位寄存器
	74165	并行读入 8 位移位寄存器
	74165b	并行读入 8 位移位寄存器
移位寄存器	74166	带时钟禁止端的 8 位移位寄存器
	74178	4 位移位寄存器
	74179	带清零端的 4 位移位寄存器
	74194	带并行读入端的 4 位双向移位寄存器
	74195	4 位并行移位寄存器
	74198	8 位双向移位寄存器
	74199	8 位双向移位寄存器
	74295	带三态输出端的 4 位左右移位寄存器
	74299	8 位通用移位/存储寄存器
	74350	带三态输出端的 4 位移位寄存器
	74395	带三态输出端的 4 位可级联移位寄存器
	74589	带输入锁存和三态输出端的 8 位移位寄存器
	74594	带输入锁存的 8 位移位寄存器
	74595	带输入锁存和三态输出端的 8 位移位寄存器

表 **C1**(续 5)

模块类型	模块名称	功　能
移位寄存器	74597	带输入寄存器的 8 位移位寄存器
	74671	带强制清零和三态输出端的 4 位通用移位寄存器/锁存器
触发器	lpm _ dff	参数化 D 触发器/移位寄存器
	lpm _ ff	参数化 D/T 触发器
	lpm _ tff	参数化 T 触发器
	enadff	带使能端的 D 触发器
	expdff	用扩展电路实现的 D 触发器
	7470	带预置和清零端的与门 JK 触发器
	7471	带预置端的 JK 触发器
	7472	带预置和清零端的与门 JK 触发器
	7473	带清零端的双 JK 触发器
	7474	带异步预置和异步清零端的双 D 触发器
	7476	带异步预置和异步清零端的双 JK 触发器
	7478	带异步预置、公共清零和公共时钟端的双 JK 触发器
	74107	带清零端的双 JK 触发器
	74109	带预置和清零端的双 JK 触发器
	74112	带预置和清零端的双 JK 时钟下降沿触发器
	74113	带预置端的双 JK 时钟下降沿触发器
	74114	带异步预置、公共清零和公共时钟端的双 JK 时钟下降沿触发器
	74171	带清零端的 4D 触发器
	74172	带三态输出的多端口寄存器
	74173	4 位 D 型寄存器
	74174	带公共清零端的 16 进制 D 触发器
	74174b	带公共清零端的 16 进制 D 触发器
	74175	带公共时钟和清零端的 4D 触发器

表 C1（续 6）

模块类型	模块名称	功　　能
触发器	74273	带异步清零端的八进制触发器
	74273b	带异步清零端的八进制触发器
	74276	带公共预置和清零端的 4JK 触发器寄存器
	74374	带三态输出和输出使能端的八进制 D 触发器
	74374b	带三态输出和输出使能端的八进制 D 触发器
	74376	带公共时钟和公共清零端 4JK 触发器
	74377	带使能端的八进制 D 触发器
	74377b	带使能端的八进制 D 触发器
	74378	带使能端的十六进制 D 触发器
	74379	带使能端的 4D 触发器
	743968	进制存储寄存器
	74548	带三态输出的 8 位两级流水线寄存器
	74670	带三态输出的 4 位寄存器
	74821	带三态输出的 10 位总线接口触发器
	74821b	带三态输出的 10 位 D 触发器
	74822	带三态反相输出的 10 位总线接口触发器
	74822b	带三态反相输出的 10 位 D 触发器
	74823	带三态输出的 9 位总线接口触发器
	74823b	带三态输出的 9 位 D 触发器
	74824	带三态反相输出的 9 位总线接口触发器
	74824b	带三态反相输出的 9 位 D 触发器
	74825	带三态反相输出的 8 位总线接口触发器
	74825b	带三态输出的八进制 D 触发器
	74826	带三态反相输出的 9 位总线接口触发器
	74826b	带三态反相输出的八进制 D 触发器

表 **C1**(续 7)

模块类型	模块名称	功　　能
存储器模块	lpm＿ram＿dp	参数化双端口 RAM
	lpm＿ram＿dq	参数化 RAM,输入/输出端分离
	lpm＿ram＿io	参数化 RAM,输入/输出端共用一个端口
	csdpram	参数化循环共享双端口 RAM
	lpm＿rom	参数化 ROM
锁存器	lpm＿latch	参数化锁存器
	explatch	用扩展电路实现的锁存器
	Inpltch	用扩展电路实现的输入锁存器
	nandltch	用扩展电路实现的 SR(非)与非门锁存器
	norltch	用扩展电路实现的 SR 或非门锁存器
	7475	4 位双稳态锁存器
	7477	4 位双稳态锁存器
	74116	带清零端的双 4 位锁存器
	74259	带清零端、可设定地址的锁存器
	74279	4 路 SR(非)锁存器
	74373	带三态输出的八进制透明 D 锁存器
	74373b	带三态输出的八进制透明 D 锁存器
	74375	4 位双稳态锁存器
	74549	8 位二级流水线锁存器
	74604	带三态输出的八进制 2 输入多路锁存器
	74841	带三态输出的 10 位总线接口 D 锁存器
	74841b	带三态输出的 10 位总线接口 D 锁存器
	74842	带三态输出的 10 位总线接口 D 锁存器
	74842b	带三态输出的 10 位总线接口 D 反相锁存器
	74843	带三态输出的 9 位总线接口 D 锁存器
	74844	带三态输出的 9 位总线接口 D 反相锁存器
	74845	带三态输出的 8 位总线接口 D 锁存器

表 C1（续 8）

模块类型	模块名称	功　　能
锁存器	74846	带三态输出的 8 位总线接口 D 反相锁存器
	74990	8 位透明读回锁存器
FIFO 模块	csfifo	参数化循环共享 FIFO
	dcfifo	参数化双时钟 FIFO
	scfifo	参数化单时钟 FIFO
	lpm _ fifo	参数化单时钟
	lpm _ fifo _ dc	参数化双时钟 FIFO
计数器	lpm _ counter	参数化计数器
	gray	格雷码计数器
	unicnt	通用 4 位加/减计数器,可异步设置、读取、清零和级联的左/右移位寄存器
	16cudslr	16 位二进制加/减计数器,带异步设置的左/右移位寄存器
	16cudsrb	16 位二进制加/减计数器,带异步清零和设置的左/右移位寄存器
	4count	4 位二进制加/减计数器,同步/异步读取,异步清零
	8count	8 位二进制加/减计数器,同步/异步读取,异步清零
	7468	双十进制计数器
	7469	双十二进制计数器
	7490	十/二进制计数器
	7492	十二进制计数器
	7493	4 位二进制计数器
	74143	4 位计数/锁存器,带 7 位输出驱动器
	74160	4 位十进制计数器,同步读取,异步清零
	74161	4 位二进制加法计数器,同步读取,异步清零
	74162	4 位二进制加法计数器,同步读取,同步清零
	74163	4 位二进制加法计数器,同步读取,同步清零
	74168	同步 4 位十进制加/减计数器
	74169	同步 4 位二进制加/减计数器

表 **C1**（续 9）

模块类型	模块名称	功　能
计数器	74176	可预置十进制计数器
	74177	可预置二进制计数器
	74190	4 位十进制加/减计数器,异步读取
	74191	4 位二进制加/减计数器,异步读取
	74192	4 位十进制加/减计数器,异步清零
	74193	4 位二进制加/减计数器,异步清零
	74196	可预置十进制计数器
	74197	可预置二进制计数器
	74290	十进制计数器
	74292	可编程分频器/数字定时器
	74293	二进制计数器
	74294	可编程分频器/数字定时器
	74390	双十进制计数器
	74393	双 4 位加法计数器,异步清零
	74490	双 4 位十进制计数器
	74568	十进制加/减计数器,同步读取,同步和异步清零
	74569	二进制加/减计数器,同步读取,同步和异步清零
	74590	8 位二进制计数器,带三态输出寄存器
	74592	8 位二进制计数器,带输入寄存器
	74668	同步十进制加/减计数器
	74669	同步 4 位二进制加/减计数器
	74690	同步十进制计数器,带输出寄存器,多重三态输出,异步清零
	74691	同步二进制计数器,带输出寄存器,多重三态输出,异步清零
	74693	同步二进制计数器,带输出寄存器,多重三态输出,同步清零
	74696	同步十进制加/减计数器,带输出寄存器,多重三态输出,异步清零

表 C1（续 10）

模块类型	模块名称	功　能
计数器	74697	同步二进制加/减计数器,带输出寄存器,多重三态输出,异步清零
	74698	同步十进制加/减计数器,带输出寄存器,多重三态输出,同步清零
	74699	同步二进制加/减计数器,带输出寄存器,多重三态输出,同步清零
分频器	Freqdiv	2,4,8,16 分频器
	7456	双时钟 5,10 分频器
	7457	双时钟 5,6,10 分频器
奇偶校验器	74180	9 位奇偶产生器/校验器
	74180b	9 位奇偶产生器/校验器
	74280	9 位奇偶产生器/校验器
	74280b	9 位奇偶产生器/校验器
其他功能模块	pll	参数化锁相环电路
	ntsc	NTSC 图像控制信号产生器

附录 D Quartus Ⅱ常用快捷键

Quartus Ⅱ常用快捷键见表 D1。

表 D1 Quartus Ⅱ常用快捷键

类型	命 令	快 捷 键	作 用
	Keyboard Shortcuts for General Use(通用快捷键)		
Files	New	Ctrl + N	Opens a new file
	Open	Ctrl + O	Opens an existing file
	Close	Ctrl + F4	Closes a file
	Open Project	Ctrl + J	Opens an existing project
	Save	Ctrl + S	Saves a file
	Print	Ctrl + P	Prints a file
Edit	Undo	Ctrl + Z	Undoes the previous action
	Redo	Ctrl + Y	Redoes the previous action
	Cut	Ctrl + X	Cuts the selected item
	Copy	Ctrl + C	Copies the selected item
	Paste	Ctrl + V	Pastes the clipboard contents
	Delete	Del	Deletes the selected item
	Select aLL	Ctrl + A	Selects everything in a file
	Find	Ctrl + F	Finds a word or phrase in a file
	Find Next	F3	Finds the next occurrence of the word or phrase
	Go To	Ctrl + G	Navigates to a specific Location
	Replace	Ctrl + H	Replaces a word or phrase for which you previously searched

表 **D1**(续 1)

类型	命　令	快　捷　键	作　　用
View	Project Navigator	Alt + 0	Toggles Project Navigator
	Node Finder	Alt + 1	Toggles Node Finder
	Tcl Console	Alt + 2	Toggles Tcl Console
	Messages	Alt + 3	Toggles Messages window
	Status	Alt + 4	Toggles Status window
	ChanManager	Alt + 5	Toggles Change Manager
	Tasks	Alt + 6	Toggles Tasks window
	zoom enhancements	F4	Activates the Zoom Tool
		F5	Activates hand Tool
		Z	Activates Zoom Tool when in a non-editable Application
		H	Changes active Tool from Zoom Tool to hand Tool
		Esc	Allows you to Select hand or Zoom Tool
		Ctrl + Left click	Click Maximum zoom in
		Ctrl + Right click	Click Maximum zoom out
Project	Set as Top-level Entity	Ctrl + Shift + J	Sets the currently open design file as the top-level design entity for the project
	hierarcly Up	Ctrl + U	Allow you to view design elements in a hierarchical fashion
	hierarcly Down	Ctrl + D	
	hierarcly Top	Ctrl + T	

表 **D1**(续 2)

类型	命　令	快捷键	作　用
Assignments	Settings	Ctrl + Shift + E	Opens Settings dialog box
	Assignment Editor	Ctrl + Shift + A	Opens Assignment Editor
	Pin Planner	Ctrl + Shift + N	Opens Pin Planner
	Logiclock Regions Window	Alt + L	Toggles Logiclock Regions Window
	Design Partitions Window	Alt + D	Toggles Design Partitions Window
Processing	Start Simulation	Ctrl + I	Runs Start Simulation
	Analysis & Synthesis	Ctrl + K	Runs Start Analysis and Synthesis
	Start Compilation	Ctrl + L	Runs Start Compilation
	Compilation Report	Ctrl + R	Opens Simulation Reports
	Stop Processing	Ctrl + Shift + C	Stops the current process
	Clmpilation & Simulation	Ctrl + Shift + K	Runs Start Compilation & Simulation
	Classic Timing Analysis	Ctrl + Shift + L	Starts Classic Timing Analyzer
	TimeQuest Timing Analyzer	Ctrl + Shift + T	Starts TimeQuest Timing Analyzer
	PowerPlay Power Analyzer	Ctrl + Shift + P	Starts PowerPlay Power Analyzer
	Simulation Report	Ctrl + Shift + R	Opens Simulation Report
	SignalProbe Compilation	Ctrl + Shift + S	Runs Start SignalProbe Compilation
Window	Full Screen	Ctrl + Alt + Space	Toggles between a Full screen and a window
	Tile horizontally	Shift + F4	Arranges Tool windows in horizontal tile style
	Cascade	Shift + F5	Arranges Tool windows in cascade style

To navigate within the Report Window and Programmer(浏览报告和下载的快捷键)

表 **D1**(续3)

类型	命　令	快　捷　键	作　　用
Navigates	Moves to previous selected area in Report window	Alt + Left Arrow	Navigates the report window
	Moves to next selected area in Report window	Alt + Left Arrow	
	Moves to previous section in Report window	Alt + Up Arrow	
	Moves to next section in Report window	Alt + Down Arrow	
Programmer	Moves to previous list item	Alt + Up Arrow	Navigates Programmer
	Moves to next list item	Alt + Down Arrow	

附录 E Quartus Ⅱ 常用文件后缀注释

Quartus Ⅱ 的文件分为五种类型：

1. 编译必需的文件：设计文件(. gdf,. bdf,EDIF 输入文件,. tdf,verilog 设计文件,. vqm,. vt,VHDL 设计文件,. vht)、存储器初始化文件(. mif,. rif,. hex)、配置文件(. qsf,. tcl)、工程文件(. qpf)。这类文件一定要保留。

2. 编译过程中生成的中间文件(. eqn 文件和 db 目录下的所有文件)，这类在编译过程中会根据第一类文件生成,不需要保留。

3. 编译结束后生成的报告文件(. rpt,. qsmg 等)，这类文件和第二类文件一样,是根据第一类文件的改变而改变,反映了编译后的结果,可以视需要保留。

4. 根据个人使用习惯生成的界面配置文件(. qws 等)，这类文件保存了个人使用偏好,也可以视需要保留。

5. 编程文件(. sof,. pof,. ttf 等)，此类文件是编译的结果,一定要保留。

Quartus Ⅱ 常用文件后缀注释见表 E1。

表 E1 Quartus Ⅱ 常用文件后缀注释

文 件 类 型	扩 展 名	注 释
AHDL Include File	. inc	
ATOM Netlist File	. atm	
Block Design File	. bdf	第一类
Block Symbol File	. bsf	第一类
BSDL file	. bsd	
Chain Description File	. cdf	
Comma-Separated Value File	. csv	
Component Declaration File	. cmp	
Compressed Vector Waveform. File	. cvwf	
Conversion Setup File	. cof	
Cross-Reference File	. xrf	

表 **E1**(续1)

文 件 类 型	扩 展 名	注 释
database files	. cdb,. hdb,. rdb,. tdb	
DSP Block Region File	. macr	
EDIF Input File	. edf,. edif,. edn	第一类
Global Clock File	. gclk	
Graphic Design File	. gdf	第一类
HardCopy files	. datasheet,. sdo,. tcl,. vo	
Hexadecimal (Intel-Format) File	. hex	第一类
Hexadecimal (Intel-Format) Output File	. hexout	
HSPICE Simulation Deck File	. sp	
HTML-Format Report File	. htm	
I/O Pin State File	. ips	
IBIS Output File	. ibs	
In System Configuration File	. isc	
Jam Byte Code File	. jbc	
Jam File	. jam	
JTAG Indirect Configuration File	. jic	
Library Mapping File	. lmf	
License File	license. dat	
Logic Analyzer Interface File	. lai	
Memory Initialization File	. mif	第一类
Memory Map File	. map	
PartMiner edaXML-Format File	. xml	
Pin-Out File	. pin	
placement constraints file	. apc	
Programmer Object File	. pof	
programming files	. cdf,. cof	
QMSG File	. qmsg	

表 **E1**(续 2)

文 件 类 型	扩 展 名	注 释
Quartus II Archive File	. qar	
Quartus II Archive Log File	. qarlog	
Quartus User-Defined Device File	. qud	
Quartus II Default Settings File	. qdf	
Quartus II Exported Partition File	. qxp	
Quartus II Project File	. qpf	第一类
Quartus II Settings File	. qsf	第一类
Quartus II Workspace File	. qws	
RAM Initialization File	. rif	第一类
Raw Binary File	. rbf	
Raw Programming Data File	. rpd	
Routing Constraints File	. rcf	
Signal Activity File	. saf	
SignalTap II File	. stp	第一类
Simulator Channel File	. scf	
SRAM Object File	. sof	
Standard Delay Format Output File	. sdo	
Symbol File	. sym	
Synopsys Design Constraints File	. sdc	
Tab-Separated Value File	. txt	
Tabular Text File	. ttf	
Tcl Script. File	. tcl	第一类
Text Design File	. tdf	第一类
Text-Format Report File	. rpt	
Text-Format Timing Summary File	. tan. summary	
Timing Analysis Output File	. tao	
Token File	ted. tok	

表 E1(续3)

文 件 类 型	扩 展 名	注 释
Vector File	. vec	
Vector Table Output File	. tbl	
vector source files	. tbl,. vwf,. vec	
Vector Waveform. File	. vwf	第一类
Verilog Design File	. v,. vh,. verilog,. vlg	第一类
Verilog Output File	. vo	
Verilog Quartus Mapping File	. vqm	第一类
Verilog Test Bench File	. vt	第一类
Value Change Dump File	. vcd	
version-compatible database files	. atm,. hdbx,. rcf,. xml	
VHDL Design File	. vhd,. vhdl	第一类
VHDL Output File	. vho	
VHDL Test Bench File	. vht	第一类
XML files	. cof,. stp,. xml	
waveform. files	. scf,. stp,. tbl,. vec,. vwf	

参 考 文 献

[1] 康华光.电子技术基础-数字部分[M].5版.北京:高等教育出版社,2006.

[2] 王毓银.数字电路逻辑设计[M].3版.北京:高等教育出版社,1999.

[3] 阎石.数字电子技术基础[M].5版.北京:高等教育出版社,2006.

[4] 吕思忠,施齐云.数字电路实验与课程设计[M].哈尔滨.哈尔滨工程大学出版社,2001.

[5] 周立功.EDA实验与实践[M].北京:北京航空航天大学出版社,2007.

[6] 周立功.SOPC嵌入式系统实验教程[M].北京:北京航空航天大学出版社,2006.

[7] 高吉祥,库锡树.电子技术基础实验与课程设计[M].3版.北京:电子工业出版社,2012.

[8] 阮维国,黄建宇.电子技术实验[M].北京:兵器工业出版社,2004.

[9] 曹昕燕.EDA技术实验与课程设计[M].北京:清华大学出版社,2006.

[10] 周润景.基于QUARTUS Ⅱ的数字系统Verilog VDL设计实例详解[M].北京:电子工业出版社,2010.

[11] 阮秉涛.电子技术基础实验教程[M].北京:高等教育出版社,2011.

[12] 郑亚民,董晓舟.可编程逻辑器件开发软件Quartus Ⅱ[M].北京:国防工业出版社,2006.

[13] 潘松,黄继业.EDA技术使用教程[M].北京:科学出版社,2002.

[14] 潘松,黄继业.EDA技术与VHDL[M].北京:清华大学出版社,2007.

[15] 高有堂.EDA技术及应用实践[M].北京:清华大学出版社,2006.

[16] 赵世强.电子电路EDA技术[M].西安:西安电子科技大学出版社,2001.

[17] 艾明晶.EDA设计实验教程[M].北京:清华大学出版社,2014.

参考文献

[1] 康华光. 电子技术基础—模拟部分[M]. 5版. 北京: 高等教育出版社, 2008.

[2] 王淑娟. 数字电路与逻辑设计[M]. 3版. 北京: 高等教育出版社, 1999.

[3] 阎石. 数字电子技术基础[M]. 5版. 北京: 高等教育出版社, 2006.

[4] 杜建龙. 海尔龙云. 数字电路实验与课程设计[M]. 哈尔滨: 哈尔滨工程大学出版社, 2001.

[5] 潘松. EDA 实验与实践[M]. 北京: 北京航空航天大学出版社, 2002.

[6] 周立功. SOPC 嵌入式系统实验教程[M]. 北京: 北京航空航天大学出版社, 2006.

[7] 高泽涵. 海勒林. 电子技术基础实验与课程设计[M]. 3版. 北京: 电子工业出版社, 2012.

[8] 阿道明. 高海生. 电子技术实验[M]. 北京: 机械工业出版社, 2004.

[9] 潘松. 基于 EDA 技术与数字系统设计[M]. 北京: 清华大学出版社, 2006.

[10] 侯伯亨. 基于 QUARTUS Ⅱ 的数字系统与 Verilog VDL 设计开发与例程[M]. 北京: 电子工业出版社, 2010.

[11] 张新华. 电子技术基础实验教程[M]. 北京: 高等教育出版社, 2011.

[12] 郑亚民. 黄绍先. 可编程逻辑器件及其开发软件 Quartus Ⅱ[M]. 北京: 国防工业出版社, 2006.

[13] 黄继昌. 高继先. RDA 技术实用简明教程[M]. 北京: 科学出版社, 2002.

[14] 潘松. 黄继业. EDA 技术与 VHDL[M]. 北京: 清华大学出版社, 2007.

[15] 曾繁泰. EDA 技术及其应用实践[M]. 北京: 清华大学出版社, 2006.

[16] 郭银景. 电子电路 EDA 技术[M]. 西安: 西安电子科技大学出版社, 2001.

[17] 黄智伟. EDA 设计与实践基础[M]. 北京: 清华大学出版社, 2014.